D1190216

SAINTE-MÈRE-ÉGLISE

ALEXANDRE RENAUD

SAINTE-MÈRE-ÉGLISE

PREMIÈRE TÊTE DE PONT AMÉRICAINE
EN FRANCE
6 juin 1944

JULLIARD
8, rue Garancière - PARIS

DÉDIÉ À MES FILS

LETTRE-PRÉFACE

à

Simone Renaud

Le nom de SAINTE-MÈRE-ÉGLISE était déjà depuis plusieurs heures entré dans l'Histoire quand j'ai mis le pied sur le sol français près du sanatorium d'Asnelles, à l'aube du 6 juin. Les hasards et les traverses de la bataille ont retardé de plusieurs semaines le moment où j'ai pu, sur le seuil d'une pharmacie devenue célèbre jusque dans le Nouveau Monde, vous serrer dans mes bras.

Mais le thème de notre premier entretien mérite de nous survivre, comme il survit au cher Alexandre RENAUD. Nous nous étions promis — vous en souvient-il ? — d'attester combien la Normandie fut digne du sort à la fois cruel et beau que lui avait assigné l'Histoire. Dévastée, pilonnée par des bombardements qui n'étaient pas tous inévitables, elle aurait pu se borner à souffrir. Elle a su, non seulement par l'accueil qu'elle a réservé à ses libérateurs, mais aussi par l'aide qu'elle leur a prodiguée, transformer cette souffrance en sacrifice. Sous le regard des Anglais, des Canadiens et surtout des Américains dont la religion avait grand besoin d'être éclairée, nous vîmes — grâce aux Normands — grandir le renom de la France et grossir sa créance sur la victoire commune. Tel était, depuis le 18 juin 1940, notre but, notre seul but. Ce chapitre essentiel de notre délivrance est illuminé par les souvenirs que votre commune et son maire, vos concitoyens et vous-même, avez gravés dans la mémoire d'une élite de jeunes Américains. Nous ne l'avons jamais mieux ressenti que le jour où l'un d'eux devint ambassadeur des États-Unis à Paris.

Ainsi donc j'ai contracté envers vous une lourde dette de gratitude, comme combattant des plages de Normandie, comme compagnon du général de Gaulle, mais aussi et peut-être surtout comme ministre des Affaires étrangères. Si j'ai pu parler au nom d'une France dont le drapeau flottait à la même altitude que celle des grands vainqueurs, je vous en suis redevable pour une part que mon cœur ne saurait oublier.

Georges Bernanos a écrit : « Il n'y a peut-être pas d'honneur à être Français mais il y a une grande imprudence à ne pas l'être. » Soyez remerciée, chère Simone, de mettre en garde contre cette imprudence, par un témoignage essentiel, nos enfants et les enfants de nos enfants.

Maurice Schumann
de l'Académie française

AUX PETITS ENFANTS
DE SAINTE-MÈRE-ÉGLISE

Dans une « party » organisée cet été pour eux par le 9ᵉ groupe d'aviation américaine stationné à La Londe, je leur disais qu'ils venaient de vivre le plus extraordinaire conte de fées que jamais on eût osé écrire pour eux. Par une douce nuit de juin délicatement éclairée par la lune, ils ont vu, aux lueurs de l'incendie et au son du tocsin, des hommes, la face barbouillée de suie, armés de mitraillettes et de poignards, descendre du ciel pour s'emparer des premières redoutes de la forteresse allemande. Ils ont vu autour d'eux, dans le fracas des éclatements d'obus et le sifflement des balles lumineuses, la bataille, la tuerie, la mort de leurs parents ou d'êtres chers. Ils ont vu enfin, le 6 juin, sur leurs toits, dans les arbres, les grands parachutes de soie blancs, rouges, verts, or, flotter au grand soleil comme d'immenses cocons vides de leur papillon, puis servir de linceul à nos morts.

Je voudrais qu'aidés par ce petit livre, qui va leur raconter exactement ce qui arriva, ils gardent toute leur vie le souvenir de cette page d'histoire dont Sainte-Mère-Église a été le théâtre.

Quand nous, les adultes, aurons disparu, je voudrais que ces petits enfants, devenus à leur tour des grands-papas et des grand-mamans, rassemblent chaque année, au mois de juin, leurs petits pour leur raconter le grand drame de Sainte-Mère-Église.

Le temps aura fait son œuvre habituelle. Les actes réels se seront estompés, d'autres histoires seront créées de toutes pièces au cours des années par l'imagination populaire, et les conteurs d'alors pourront émailler, sans nuire à la vraisemblance, leurs récits d'actions fantastiques et merveilleuses auprès desquelles sembleront fades nos chansons de gestes et la vieille histoire du cheval de Troie.

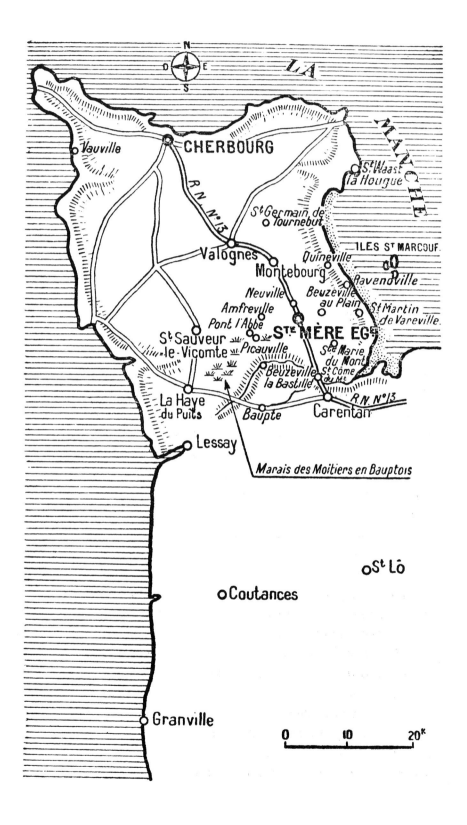

I

SAINTE-MÈRE-ÉGLISE

D'un avion arrivant au-dessus de la presqu'île du Cotentin, Sainte-Mère-Église doit apparaître comme une bourgade groupée le long de la route nationale n° 13 Paris-Cherbourg et à trente-cinq kilomètres de cette dernière ville. Pour le passager de l'avion, rien ne la peut distinguer de nombreuses autres petites cités normandes encloses dans les frondaisons et ceinturées étroitement par les herbages verdoyants parsemés de pommiers et bordés de grands ormes.

Ce qui frappe à son arrivée à Sainte-Mère-Église l'automobiliste allant s'embarquer à Cherbourg, ce ne sont pas les maisons banales, bâties sans plan au cours des siècles, mais la grande place vieillotte et largement ombragée de marronniers et de platanes. Sur cette place, d'une très belle perspective, nos ancêtres avaient jadis, au XIIᵉ siècle, commencé de bâtir une église dans le style roman de l'époque. Mais dans ces périodes reculées, le temps n'importait pas. On bâtissait pour le plaisir de bâtir et sans se soucier si l'ouvrier verrait la fin du travail.

Les hommes d'alors savaient que les enfants et les petits-enfants auraient à cœur de continuer l'œuvre. Et c'est ainsi que la vieille église s'acheva près de quatre siècles plus tard. Chaque génération y mit la marque de son génie, et le monument commencé en roman se termina en gothique. Un jour, on surmonta la maison de Dieu, comme presque toutes ses sœurs du pays normand, d'un petit clocher dit « clocher à bâtière », et il dut y avoir une grande fête à Sainte-Mère-Église, mais de cela personne ne peut rien dire, car toutes les vieilles archives ont été détruites par la Révolution, la chouannerie et les moisissures.

A dix mètres de l'église se dresse, fine et élancée sur ses marches de granit, une borne milliaire romaine. Dans sa jeunesse elle indiquait aux légions de César qu'une grande étape venait de se terminer dans la pacification des Gaules. Plantée sûrement à quelque carrefour important, elle vit passer les chevaliers bardés de fer de Guillaume, les lourdes tours, premières ébauches de nos tanks modernes, et les catapultes se dirigeant vers les plages pour s'embarquer vers l'Angleterre.

Le pays qui entoure Sainte-Mère-Église est d'une fertilité extraordinaire. L'herbe y pousse drue et verte, l'été comme l'hiver. C'est le cœur du Cotentin, et le Cotentin est une des régions les plus grasses de la France. Des troupeaux de vaches racées et grandes laitières et les beaux chevaux de selle dont certains font la gloire des hippodromes de Vincennes et de Longchamp paissent dans les champs appelés « clos », cerclés de haies touffues.

★
★ ★

Les Allemands sont arrivés à Sainte-Mère-Église le 18 juin 1940, sans coup férir. Les ponts sur les marais de Saint-Côme-du-Mont, entre Sainte-Mère-Église et Carentan ayant sauté, les assaillants avaient dû, sous un tir assez meurtrier de fusiliers marins français, se replier vers les routes de Périers et de La Haye-du-Puits, et contourner la presqu'île par l'ouest. Valognes avait donc été occupée avant Sainte-Mère-Église. Les fils téléphoniques n'étaient pas coupés, et nous fûmes prévenus exactement par les bureaux de poste lorsque les avant-gardes arrivèrent à Valognes et à Montebourg.

Les Allemands occupèrent aussitôt les maisons, ne laissant aux habitants que le minimum de place. Puis, les semaines suivantes, l'armée teutonne, formidablement armée et disciplinée, se massa face aux côtes de l'Angleterre. Les régiments formés d'hommes superbes, toujours propres et astiqués, passaient fiers et massifs, au pas cadencé, chantant à pleine voix :

Wir fahren gegen England.
(Nous marchons contre l'Angleterre.)

« Dans trois semaines, disaient les soldats, l'Angleterre sera *kapout !* ». Les trois semaines passèrent, puis d'autres encore, et la grande attaque fut annoncée pour la mi-septembre. Les troupes stationnées à Sainte-Mère-Église s'efforcèrent, par de grandes beuveries et de bons repas, d'étouffer cette sorte de terreur presque mystérieuse qui les assaillait toutes à la pensée de prendre la mer.

Cependant l'assaut n'eut pas lieu ; octobre commença, et on parla de moins en moins d'attaque.

« Glou, glou, glou ! » criaient parfois les gamins au passage de ces hommes, soldats incomparables, mais pitoyables marins, en imitant le bruit de l'air s'échappant des poumons de l'homme qui se noie.

D'autres enfants, narquois, marchaient parfois sur le flanc des détachements en imitant le « pas de l'oie ». Quelquefois, les sentinelles les poursuivaient, mais, à la fin de 1940, cette marche grotesque, maintenant ridiculisée, avait cessé dans l'armée allemande de campagne.

L'occupation étrangère commença, avec ses ennuis, ses tracas, ses tristesses. Sur la place de la mairie, un immense drapeau à croix gammée fut hissé. Aux murs, la Ortskommandantur fit placarder en allemand et en français les premières affiches annonçant l'exécution de patriotes coupables d'avoir porté atteinte à la sécurité de l'armée occupante.

L'ordre allemand régna.

La revue dominicale devant l'église de Sainte-Mère-Église, août 1940.

A l'emplacement de l'actuel musée... grange incendiée dans la nuit du 5 au 6 juin 1944.

Le lait des vaches normandes est apprécié des soldats du Reich...

II

L'HIVER 1943-1944 SOUS L'OCCUPATION ALLEMANDE

L'hiver 1943-1944 avait été d'un calme impressionnant à Sainte-Mère-Église. Le pays s'était peu à peu, durant l'automne, dégarni de troupes allemandes. Seul restait sur la côte un léger cordon de petits postes isolés, reliés les uns aux autres par le téléphone et des coureurs motocyclistes. Les prix continuaient à monter, le marché noir devenait roi. Les Allemands achetaient, les civils achetaient n'importe quoi, pour eux et aussi pour les grandes villes. On ne sentait plus la guerre que par les échos qui arrivaient de temps à autre de bombardements alliés sur les aérodromes de Cherbourg ou dans les environs de Valognes.

Quand le ciel était pur, parfois des avions isolés tournaient au-dessus de nous, en laissant derrière eux de longues traînées blanches.

« Ils viennent marquer le terrain », disait un joueur de football. D'autres soutenaient qu'ils faisaient des V dans les airs, et que c'était tout simplement des Français qui consommaient de l'essence dans le seul but de venir nous saluer. Le lendemain matin, dans les champs, les enfants revenaient chargés de paquets de petites bandes argentées sur une face et noire sur l'autre. D'autres fois, les routes et les « clos » étaient parsemés de prospectus alliés ou allemands.

Un jour, entre autres, nous trouvâmes tout au long de la route nationale une proclamation signée du général en chef de l'armée alliée nous demandant de garder toutes nos ressources en vue d'assurer prochainement le ravitaillement de l'armée d'invasion. Il était spécifié que les paysans devraient livrer leurs animaux gratuitement, à titre de paiement de la libération. Le piège était grossier, et personne ne fut dupe.

Chaque soir, la B.B.C. nous apportait de Londres les échos des victoires russes et les affirmations répétées d'une délivrance prochaine : « Éloignez-vous des côtes, des points stratégiques, des grosses usines », nous disait-elle. Mais il y avait si longtemps que l'on répétait pareille chose que beaucoup se prenaient à désespérer. Une grande offensive de printemps se prépare, avait-on clamé en 1943. Puis Churchill avait affirmé : « Avant la chute des feuilles, les Allemands seront attaqués sur de nouveaux fronts, et la lutte fera rage au sud, à l'ouest et au nord. »

En octobre, nous avions vu avec tristesse les feuilles des marronniers de notre place de l'Église jaunir, puis descendre lentement sur le sol. Puis nos platanes avaient à leur tour laissé apparaître leurs squelettes dénudés. Les pluies d'hiver avaient commencé avec novembre, et aussi les grandes tempêtes qui balayaient chaque année les dernières feuilles et creusaient les vagues. Les plus optimistes disaient « Un débarquement est impossible, ce sera pour le printemps prochain. »

La B.B.C. n'affirmait plus rien. Dans de longues dissertations, elle s'efforçait de nous prouver que les opérations amphibies étaient tellement compliquées qu'il fallait donner beaucoup de temps aux Alliés pour se préparer.

Les Allemands ricanaient : « Les Tommies ne seront jamais prêts ! »

Dans le ciel des nuits mouillées et froides de l'hiver normand, seuls passaient les canards, les oies, les courlis, et parfois, très haut, de grosses formations d'avions portant leurs bombes sur les villes allemandes, les usines ou les gares de triage.

★
★ ★

Cependant, au mois de février, différents mouvements de troupes eurent lieu dans la presqu'île du Cotentin. La nuit, nous entendions de temps à autre quelques convois qui montaient vers le sommet de la presqu'île. Un soir, comme nous sortions du cinéma, nous aperçûmes un long défilé de voitures à chevaux conduites par des paysans français et escortées par des Allemands. Ces paysans venaient de fort loin et étaient réquisitionnés pour conduire des troupes et du matériel dans le nord du département, à la Hague probablement. C'était la première fois que nous constations une réquisition massive de cet ordre.

En mars, des troupes allemandes arrivèrent à Sainte-Mère-Église ; c'était un groupe de *Flak* [1], en tenue réséda d'aviateurs. Ils installèrent leurs cantonnements à leur fantaisie et sans demander avis à personne. Ils mirent à la porte l'institutrice, s'emparèrent des écoles. Par ailleurs, ils furent corrects.

C'étaient des Autrichiens du Tyrol, vieux pour la plupart, embusqués dans une petite formation de choix, dont le but était le ravitaillement de la côte en munitions. Ils n'avaient pas de canons, mais uniquement des camions, la plupart à gazogène, qui, toute la journée, étaient garés sous les arbres de la place.

La nuit, nous les entendions partir, tous feux éteints, puis revenir et repartir encore. Le commandant des *Flak*, un homme de cinquante-huit ans, critique musical dans le civil, pensait davantage à bien vivre qu'à faire la guerre.

Quelques jours après l'arrivée des *Flak*, un bataillon allemand vint à son tour cantonner dans la ville. Ceux-ci étaient redoutables. Bien entraînés, disciplinés, durs pour nous et pour eux-mêmes, ils constituaient une force réelle que nous n'avions pas vue depuis longtemps.

Quinze jours plus tard, soudainement, ils quittaient leur cantonnement de Sainte-Mère-Église pour s'installer dans les petits villages voisins de Gambosville, Fauville et La Coquerie. La route nationale n° 13 Paris-Cherbourg était, paraît-il, dangereuse. Alors, les réquisitions commencèrent. Chaque jour il fallait des chevaux, des voitures, pour la poste allemande, pour la troupe, pour la promenade, pour la gare de Carentan, pour le ravitaillement à Baupte, pour l'hôpital de Pont-l'Abbé. Les Allemands exigeaient, mais payaient. Les troupes, presque chaque jour et même chaque nuit, partaient pour la manœuvre. Parfois, elles traversaient la ville armées de pied en cap ; les casques des hommes, les chariots, les chevaux, les canons étaient recou-

1. *Flak :* troupes de défense contre avions.

verts de branchages. Un certain lieutenant Zitt, un géant mal bâti, fut nommé commandant de la place. Il me convoqua à Gambosville pour me dire en cinq points ce qu'il attendait de moi, et ce qu'il attendait, c'était l'obéissance absolue à toutes ses volontés.

Parallèlement à ces réquisitions avaient lieu, chaque matin, des réquisitions d'hommes. Tout le Cotentin devait être fortifié par des enceintes successives de défenses de campagne. Autour de Sainte-Mère-Église, nous devions, sous la direction de sous-officiers du génie allemand, installer la seconde ligne. Très peu d'hommes se rendaient au travail, et la principale besogne consistait à manger et à boire. Les sous-officiers allemands, il est vrai, sauf de rares exceptions, n'insistèrent jamais beaucoup et ne punirent personne.

*En face,
l'Angleterre...*

La coupe des troncs d'arbres en vue d'édifier des obstacles sur les plages...

III

LES CIERGES DE ROMMEL

Le 17 avril, un colonel du génie allemand vint commander pour le surlendemain des corvées spéciales chargées de planter, dans tous les champs, de jeunes arbres coupés aux haies voisines et dépouillés de leurs branches. Il fallait creuser des trous profonds d'un mètre, en quinconce, et distants de vingt mètres les uns des autres. Les troncs d'arbres devaient s'élever à trois mètres de hauteur. Il était prévu de relier ensuite tous ces arbres par des fils de fer barbelés.

— Votre intérêt, nous dit naïvement le colonel, est de travailler rapidement. Quand le travail sera terminé, il sera impossible à des avions et à des planeurs tommies de se poser au sol, et ainsi votre pays sera sauvé de l'invasion. Dans le cas contraire, vous devez comprendre que vos villes et vos campagnes seront ravagées.

— Ainsi donc, disions-nous le soir, ils semblent tous croire que l'attaque alliée va se déclencher en Normandie.

Nous ne pouvions nous empêcher d'en rire, car très peu parmi nous croyaient à cette éventualité.

Cependant, le travail commença. Quelques cierges se dressaient chaque jour contre lesquels, avec délices, venaient se frotter les vaches. Les trous se creusaient doucement et doucement les arbres étaient coupés, dépouillés et portés à leur demeure nouvelle. Les semaines passèrent, et le travail ne fut jamais achevé.

Le 17 avril, également, vint l'ordre du gouvernement de Vichy d'avoir à déposer dans les mairies tous les postes de T.S.F. La Normandie ne devait plus écouter les émissions de la B.B.C., et les peines les plus sévères menaçaient les récalcitrants.

Deux jours après, Zitt me fit appeler à Gambosville. A demi étendu sur un fauteuil, les jambes allongées sur une table, il ne m'offrit pas de m'asseoir. Il lui fallait immédiatement tous les postes de T.S.F. entreposés dans le grenier de la mairie.

— Ces postes, lui répondis-je, sont la propriété des Français, et ils resteront la propriété des Français tant que j'aurai la responsabilité de la commune.

Zitt se fâcha :

— Si les Tommies arrivent, cria-t-il, hors de lui, votre premier retard à exécuter mes ordres vous vaudra « ça » !

Et il fit le geste de tirer.

Je lui répondis que je comprenais parfaitement ce qu'il voulait me dire, que d'ailleurs j'étais très habitué à ce genre de langage, et de vieille date. Je fus mis à la porte.

Les postes de T.S.F. de Sainte-Mère-Église restèrent à l'hôtel de ville.

En revenant à la maison, je songeais :

« Il y croit, lui aussi, le bougre, à l'invasion du Cotentin ! »

La semaine suivante, ce fut la guerre sournoise entre Zitt et moi. Je ne le vis plus jamais. Il m'envoyait ses sous-officiers et parfois ses soldats. A plusieurs reprises, je refusai d'exécuter ses demandes parce que les papiers n'étaient pas signés. Les sous-officiers revenaient avec la signature de Zitt et me montraient la branche où ils me pendraient à l'arrivée des Tommies.

Un seul, parmi eux, fut courtois. C'était un feldwebel intelligent et doux. Il prit parfois sur lui de diminuer les corvées. Qu'est-il devenu ? Je l'ignore ; son nom, je l'ai oublié. Je savais qu'il était Autrichien et avait beaucoup couru le monde avant la guerre.

Brusquement, le 10 mai, à 8 heures du matin, on vint me demander dix voitures, mais dans le même temps on réquisitionnait tous les chevaux et les hommes disponibles dans les villages occupés. Je crus d'abord que c'était pour des manœuvres de nuit, et je protestai violemment au nom des conventions de La Haye ; mais, une demi-heure plus tard, j'étais fixé : Zitt et ses soudards partaient pour Vauville.

C'était un poids bien lourd enlevé à mes épaules, et maintenant je crois pouvoir affirmer que, si cette troupe était restée à Sainte-Mère-Église, la grande aventure du début de juin se serait terminée tout autrement pour la ville et moi-même.

IV

LES SIGNES PRÉCURSEURS DE L'INVASION

Mai va finir. Les feuilles des grands arbres de la place de l'Église sont d'un beau vert tendre, et les marronniers ont sorti leurs cônes de fleurs. Le ciel est d'un bleu de turquoise comme on le voit rarement dans le Cotentin, et depuis près de deux mois il en est ainsi. Les routes et les clos sont desséchés. Les marais, inondés par les Allemands, baissent malgré les efforts des troupes du génie pour les maintenir à leur plus haut niveau. Alentour, le soir surtout, comme l'été précédent, l'air commence à se charger d'effluves empestés.

Ce devait être ainsi au Moyen Age et jusqu'à l'époque des grandes irrigations, quand les paysans, décimés par la malaria, fuyaient le pays.

Des travailleurs qui creusent en ce moment des tranchées à Beuzeville-la-Bastille rapportent que des myriades de moustiques ont envahi les herbes et les haies. Au pont de Saint-Côme, quand le soleil se couche, ils forment des essaims tellement denses qu'ils obscurcissent le ciel.

Que font les Anglais ?

Vont-ils attendre la chute des feuilles pour se décider ?

Les attaques aériennes se multiplient, le pont de Beuzeville-la-Bastille a été bombardé à maintes reprises, ainsi que le pont des Moitiers-en-Bauptois. Ce sont pourtant deux petits ponts d'intérêt local permettant le franchissement des marais d'est en ouest. Ils auraient une importance capitale seulement en cas d'attaque de la presqu'île et pour empêcher l'arrivée des renforts allemands. D'aucuns prédisent qu'il pourrait bien se produire des feintes

La défense de la plage.
◄ *Poteaux surmontés de mines, et recouverts par la mer à marée haute.*

alliées sur la presqu'île pour détourner l'attention des Allemands, mais rien ne peut nous empêcher de croire que la grande attaque, si elle a lieu, se fera dans le Nord, vers Dieppe, Boulogne, Dunkerque.

La nuit dernière, dans le clos du Manoir, des petites brochures d'une dizaine de pages sont tombées du haut des airs. Elles rappellent les prescriptions générales déjà données, mais, en plus, décrivent, avec dessin à l'appui, la tenue des parachutistes anglais et américains, la forme des « jeeps » et des tanks alliés, petits tanks légers, gros tanks Churchill et Sherman.

— Bah ! me dit quelqu'un, ces brochures sont faites en grande série, et leur point de chute ne prouve rien. Les mêmes brochures sont peut-être lancées dans le Nord et à Saint-Nazaire.

Et, pour moi, cette réflexion est judicieuse.

Les ordres sont donnés aux travailleurs pour la première semaine de juin. Les tranchées autour de Sainte-Mère-Église sont à peu près terminées. Ce sont des ouvrages sans originalité aucune, serpentant dans les clos sous les pommiers, avec les pare-éclats classiques et exactement tels que nous en creusions à l'arrière des lignes en 1916-1917.

Les plantations d'arbres, des « cierges de Rommel », comme nous les appelions, continuent également, mais à une allure de plus en plus molle. Le commandement allemand ne semble pas bien énergique. Avec les sanctions dont il disposait il aurait pu quintupler le rendement et exiger que le travail fût achevé pour le 1er juin.

Pendant tout le mois de mai, les troupes allemandes ont monté continuellement vers Cherbourg. Nous avons vu camper dans nos champs, des fantassins et artilleurs allemands, et aussi des Géorgiens et des Mongols à face asiatique, encadrés par des officiers et des sous-officiers du Reich.

Dans la deuxième quinzaine de mai, des artilleurs se sont installés à Gambosville. Les officiers viennent me trouver à la mairie. Il leur faut immédiatement des pelles, des pioches, des sciards. La localité va être mise en état de défense, et le travail doit être terminé dans cinq jours. Je leur réponds qu'il n'y a plus de pelles ni de sciards dans le pays, qu'il leur faudra fouiller toutes les maisons pour trouver quelques outils. Ils téléphonent à la Feldkommandantur à Saint-

Lô pour connaître les sanctions à prendre. La Feldkommandantur leur répond évasivement ; alors, de guerre lasse, ils s'en vont dans une quincaillerie et, sous la menace de tout piller, réussissent à obtenir des outils. Des canons sont alors installés à toutes les issues : sur la route de Carentan, sur la route de La Fière, en avant de Capdelaine, sur la route de Ravenoville.

Des Mongols aux gueules patibulaires circulent, le soir, dans la ville.

Et soudain, trois jours après leur installation, les canons sont enlevés, et l'on vient me demander des voitures pour transporter immédiatement les vivres et les munitions de l'artillerie à Saint-Côme-du-Mont. Des grands généraux sont venus en inspection qui, paraît-il, ont trouvé inopportun tout cet étalage.

Sainte-Mère-Église restait seule, à nouveau, avec ses *Flak*.

Tous les Allemands que nous interrogeons sont convaincus qu'un débarquement se produira dans le Cotentin.

— Vous pouvez compter vos maisons, tout cela sera « kapout », nous disent-ils.

Les troupes d'infanterie cantonnées dans les environs traversent fréquemment la localité au cours de leurs manœuvres.

Seuls, nos *Flak* sont tranquilles. Le commandant a envoyé plusieurs hommes à Mercurey, en Bourgogne, lui chercher du bon vin. Pour eux, la vie est belle.

★
★ ★

Le dimanche 29 mai, à la nuit, les avions ronronnaient dans le ciel. Les escadrilles se succédaient. Puis de gros avions, feux de position allumés, passèrent au-dessus de nous. Ils volaient si bas que nous les apercevions distinctement dans la nuit étoilée.

L'instinct qui, dans le danger, pousse les êtres à se rassembler avait groupé toute ma famille dans la même pièce. Les enfants avaient interrompu leurs jeux, et maintenant, dociles, passifs, ils se tenaient blottis tout près de nous.

Nous décidâmes de ne pas nous coucher et de boucler nos valises contenant ce que nous avions de plus précieux.

Les avions passèrent et repassèrent pendant plus d'une heure, puis le calme se fit. Alors, intrigués, nous montâmes au deuxième étage et, par la fenêtre, de laquelle nous avions une vue splendide sur l'horizon, nous aperçûmes une grande lueur sur la région de Foucarville et de Saint-Martin. Des centaines de fusées lumineuses descendaient du ciel vers la terre. Elles disparurent au-dessous de la ligne des arbres et il nous sembla qu'une aube nouvelle se levait de la mer. Puis d'autres fusées apparurent et restèrent suspendues dans le ciel. Dans le vrombissement des gros moteurs, nous entendions souffler, puis éclater les chapelets de bombes. Les vitres tremblaient. Pour Sainte-Mère-Église, c'était le jour, un jour d'une violente clarté bleuâtre et uniforme dans laquelle il n'y avait pas d'ombres ni de demi-teintes.

Une femme sortit en chemise pour fermer ses volets. Les enfants avaient peur probablement, et il valait mieux pour eux ne rien voir et ne pas entendre.

Des avions vinrent ensuite planer au-dessus de la route de Ravenoville, au niveau des maisons neuves, et une vingtaine de parachutes en sortirent qui dérivèrent d'est en ouest au-dessus de la mairie et allèrent s'abattre vers la route de La Fière. Au passage, les mitrailleurs du clocher les arrosèrent de balles traçantes.

Que portaient ces parachutes ? Des hommes, des fusées qui ne s'enflammèrent pas, des vivres ? Je ne l'ai jamais su. Des Allemands que j'interrogeai le lendemain matin me dirent que cela n'avait pas eu d'importance. L'un d'eux me montra un morceau de toile blanche dont étaient faits ces parachutes.

Longtemps, dans la nuit revenue, nous attendîmes pour voir si quelque événement se produirait. Des ronronnements d'avions, invisibles maintenant, troublaient seuls le silence.

Ce n'était qu'un bombardement par avions de la côte est du Cotentin.

Vue aérienne de Sainte-Mère-Église prise juste avant le 6 juin 1944.

Le général Eisenhower exhortant les paras de la 101ᵉ Division avant leur départ.

Dans la cabine de « l'Argonia » C-47, en Angleterre, le 29 mai 1944, les derniers préparatifs du plan de vol pour le Jour J. A. Parson (2ᵉ à gauche) Ch. Young (1ᵉʳ à droite)

Pilotes et paras... Dernière photo avant le départ.

C-47 et planeurs prêts au départ.

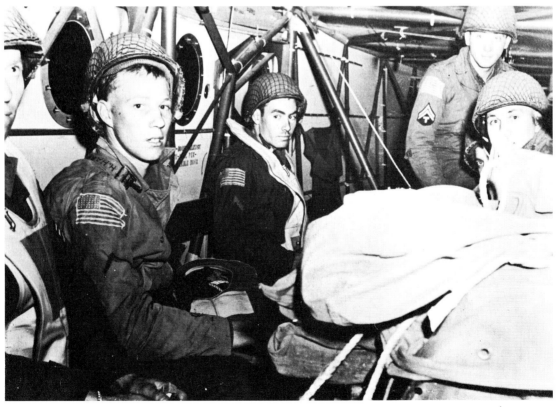

En planeurs, au-dessus de la Manche... Dans quelques instants l'atterrissage à Sainte-Mère-Église.

Dernière vérification du matériel.

Les paras embarquent la nuit avec un paquetage impressionnant.

V

LE PARACHUTAGE (NUIT DU 5 AU 6 JUIN)

Pendant la première semaine de juin, les bombardements s'intensifièrent autour de Valognes, sur la côte, sur la ligne de chemin de fer. De la salle du secrétariat de mairie, nous apercevions les avions alliés piquant sur leur cible, au-delà du clocher de Picauville, puis remontant à plein gaz vers le ciel serein et impassible. Des colonnes de fumée apparaissaient, entraînées par le vent. Le bombardement des ponts continuait.

Constamment, la nuit, les vitres et les glaces des devantures tremblaient. Nous apprenions le matin qu'une ferme avait été détruite et ses habitants déchiquetés. La vie continuait cependant, comme auparavant. Les bombes semblaient tomber un peu au hasard, sans plan d'ensemble.

— Ce sont des maladroits qui se sont trompés, disions-nous.

Toute la nuit du 4 au 5 juin, les escadrilles de gros bombardiers se succédèrent au-dessus de la presqu'île. Il faisait un vent violent, et nous nous demandions quelle région ils allaient bombarder. Nous nous couchâmes très tard, un peu inquiets tout de même. Et le matin du 5 juin, avec l'aube, le calme était revenu.

Les *Flak,* comme d'habitude, s'affairaient autour de leurs camions, et les corvées de travailleurs étaient parties planter leurs cierges.

Vers 6 heures du soir, d'un ciel nuageux, deux petits chasseurs alliés descendirent. Ils rôdèrent très bas au-dessus du clocher, puis firent le tour de la bourgade. Les Allemands tirèrent. Ils disparurent dans les nuages. A 8 heures, dans le ciel redevenu clair, nous les revîmes, décrivant autour de nous de grands cercles. La nuit s'annonçait très belle. Elle n'avait pas encore envahi la terre que les ronronnements des gros avions recommencèrent. Les moteurs étaient si nombreux qu'il était impossible de distinguer la direction des escadrilles. Des coups de feu partaient du clocher, des champs, des tranchées.

Vers la côte, le ciel s'illumina une fois de plus. Nous montâmes encore au deuxième étage, et le spectacle de la semaine précédente se reproduisit, mais un peu plus loin de nous, vers Saint-Marcouf : même clarté d'aurore boréale, mêmes détonations qui ébranlèrent la maison comme sous les coups de bélier d'un géant.

Nous venions de nous étendre sur nos lits et commencions à sommeiller quand de violents coups heurtèrent la porte de la maison. Je me levai. On venait m'avertir que le feu dévorait une villa, de l'autre côté de la place, à l'entrée du parc de la Haule. Les pompiers essayaient, en vain, de maîtriser l'incendie. On fit la chaîne jusqu'à la pompe du marché aux veaux. Les hommes couraient, leurs seaux de toile à la main, et en jetaient le contenu dans un grand baquet. Au travers des bosquets, on apercevait de grandes ombres qui s'affairaient. Le vent courbait les flammes, et des parcelles de papier et de foin embrasées tourbillonnaient vers une grange située vingt mètres plus loin et garnie de paille et de bois.

Dans les airs, les gros bombardiers passaient en vagues lourdes d'ouest en est. Les mitrailleuses croisaient leurs feux au-dessus de nous, et des centaines de grosses mouches lumineuses sifflaient, miaulaient et chuintaient, claquant parfois sur les murs de la maison en flammes. Les *Flak*, en tenue de combat, l'arme chargée, nous regardaient. Les éclatements de grosses bombes, au loin, ébranlaient la terre.

Soudain, le tocsin sonna, triste, lugubre, à coups précipités.

Le malheur était sur Sainte-Mère-Église et la cloche appelait à l'aide.

A ce moment précis, de gros avions de transport, tous feux allumés, passèrent en rase-mottes au-dessus des arbres, d'autres suivirent immédiatement, puis, d'autres encore... Ils arrivaient de l'ouest en longues vagues, presque silencieux, et leurs grandes ombres se projetaient sur la terre.

Soudain, des sortes de gros confettis sortirent de leurs carlingues et descendirent rapidement vers la terre.

Des parachutistes !...

Le travail de pompe s'interrompit, toutes les têtes se levèrent, les *Flak* ouvrirent le feu.

Tout autour de nous, les parachutes s'abattaient lourdement sur le sol. Aux lueurs de l'incendie, nous apercevions distinctement l'homme qui, au bout de ses câbles, manœuvrait son parachute. L'un d'eux, moins habile peut-être, vint s'écraser au milieu des flammes. Des étincelles jaillirent, et le feu devint plus ardent. Un autre atteint par les balles eut une violente contraction des jambes ; ses bras levés s'abaissèrent. Le grand parachute gonflé par le vent violent, roula longtemps sur la prairie l'homme qui ne résistait pas : c'était un mort.

Dans un vieil arbre tout couvert de lierre, un grand voile blanc pendait, et à son extrémité, nous vîmes remuer un homme. Agrippé aux branches, doucement, comme un reptile, il descendait. Puis il essaya de détacher sa ceinture. Les *Flak* l'aperçurent. A quelques mètres, les mitrailleuses firent entendre leur crépitement sinistre ; les mains du malheureux retombèrent, le corps oscilla et pendit mollement au bout de ses câbles.

Devant nous, à quelques centaines de mètres, près de la scierie, un gros avion de transport s'écrasa au sol, et bientôt un deuxième incendie fit rage.

Le tocsin lançait à nouveau son appel d'alarme.

Nous étions maintenant en pleine zone de tir de la mitrailleuse du clocher, et les balles claquaient sur le sol, non loin de nous.

La nuit était douce, et la lune la déchirait en larges bandes de lumière.

Pendant ce temps, à la pompe, un parachutiste surgit brusquement de l'ombre, au milieu d'un groupe des nôtres. Il braqua sur nous sa mitraillette, mais, se rendant compte que nous étions des Français, il ne tira pas. Une sentinelle allemande cachée derrière un arbre poussa un grand cri et s'enfuit à toutes jambes. Le parachutiste essaya de poser plusieurs questions, mais, personne dans ce groupe ne parlant anglais, il traversa la route et se perdit dans la nuit.

Au-dessus de l'incendie, sans arrêt, les grands avions glissaient et jetaient leurs cargaisons humaines de l'autre côté du cimetière.

Bientôt les *Flak,* réalisant l'importance de l'événement, nous donnèrent l'ordre de rentrer au plus vite.

Sur la place, un soldat allemand nous croisa :

— Parachutistes tommies, tous « kapout » ! nous dit-il.

Et il tint à nous montrer le corps d'un homme étendu près de son parachute.

★
★ ★

Je ne pus résister à la tentation d'aller au jardin, d'où la vue s'étend sur la campagne. De la maison, il n'y avait qu'une cour à traverser, puis la route de la mer. Je me glissai le long du petit sentier bordant une rivière locale, creusée et élargie à cet endroit afin de servir de lavoir public. Blotti le long du talus descendant du jardin et surplombant le lavoir, je pouvais contempler le féerique spectacle. La lune, très proche de l'horizon, éclairait violemment la nappe liquide et me laissait dans l'ombre. Les avions continuaient à passer, de toute la vitesse de leurs moteurs donnant à plein rendement. Le ciel était constamment zébré des petites lueurs fugitives des balles traçantes, et souvent ces lueurs semblaient happées par les énormes carlingues. A l'est, les grands ormes du clos du Manoir se silhouettaient comme des ombres chinoises sur le fond rouge d'un incendie. Sans arrêt, les confettis continuaient à pleuvoir sur la terre. Des planeurs immenses, attachés aux avions par un câble, se détachaient soudain et décrivaient de longs cercles avant de se poser. Les coups sourds des grosses bombes continuaient à faire vibrer la terre.

Je cherchais à m'imaginer les pensées de ces parachutistes tassés dans les avions, puis sautant dans le vide, et, je ne sais pourquoi, mon esprit se reportait quelque trente ans en arrière, au moment où, par une nuit claire comme celle-ci, je quittais les bois de Bethelainville avec mon régiment pour monter au front de Verdun. Ces deux périodes se ressemblaient parce que, bien que différentes, elles dépassaient l'humanité. Les phrases de mon vieux carnet de route me remontaient à la mémoire, exactement telles qu'elles avaient été écrites en ce temps lointain :

« Les compagnies, une à une, s'engagent en colonne sur la route boisée qui monte vers Esnes. Notre compagnie de mitrailleuses, avec ses voiturettes, suit derrière le bataillon. Un violent tir d'artillerie vient de se déclencher. Les éclairs des canons mêlés aux éclairs des éclatements ouvrent des centaines de lueurs dans la nuit, qui résonne comme une énorme cuve de cuivre. La marche est silencieuse ; nous nous sentons petits, diminués, semblables à des larves. Chacun se recueille et serre contre lui sa pauvre vie, la soupèse et suppute les chances qui lui restent de la conserver...

» De tout petits espoirs, des espoirs qui ne vont qu'à quelques heures, nous soutiennent, et, sans les confier à son voisin de peur qu'ils ne s'écroulent, chacun de nous s'y accroche comme un naufragé à une bouée. »

C'est ce sentiment de petitesse devant l'inconnu redoutable et l'immensité·de la tâche à accomplir qui devait faire battre les cœurs de ces hommes venus de si loin et jetés en pleine nuit sur une terre étrangère.

A ce moment un avion apparut au-dessus des toits, à l'ouest de mon refuge. A droite et à gauche, les parachutes se déployèrent, et deux d'entre eux vinrent se poser dans le jardin. Quelques instants plus tard, des ombres apparaissaient sur le mur de clôture. Un troisième parachute, le dernier sorti de l'appareil, glissait vers moi. En un éclair, je vis le parachutiste s'agiter au bout de ses fils à quelques mètres au-dessus de ma tête. Dans un éclaboussement sonore, l'homme s'effondra dans la rivière. Le parachute, accroché à un petit pommier, pendait au travers du sentier. Alourdi par ses vivres, ses munitions, empêtré dans ses câbles, le malheureux coulait, sans un cri, sans une plainte. Grâce au parachute, il ne me fut pas difficile de le ramener sur la berge. Le soldat n'avait plus de casque ; à demi évanoui, il toussait, crachait, cherchant à enlever les lentilles d'eau qui embuaient ses yeux. Puis il me regarda, et je lus l'étonnement sur sa figure.

— Tommy ? lui dis-je.

Il ne me comprit sans doute pas et me répondit :

— *Yes.*

— *Don't be afraid* (N'ayez pas peur), ajoutai-je.

Alors il me regarda à nouveau et, je ne sais pourquoi, palpa mon chapeau, puis mon veston.

— *I am French,* lui dis-je en riant, *and friend.*

Il avait dû se croire prisonnier et, maintenant, commençant à réaliser la situation, vite il se dégageait de ses liens.

Comme un gentleman, il se nomma :

— *My name is...* (Je m'appelle...)

Malgré tous mes efforts pour comprendre, je ne retins pas son nom.

— *May I help you ?* (Puis-je vous aider ?), dis-je.

— *Tanks, I must go* (Merci, il faut que je m'en aille), me répondit-il d'une voix calme qui contrastait singulièrement avec l'agitation première.

Et il me désignait une nouvelle vague d'avions qui venait de franchir, au bout de l'herbage, la ligne des arbres rangés comme des vigies puissantes, indifférentes à cette scène grandiose.

Dans le sillage des grands oiseaux nocturnes, d'autres parachutistes pareils aux samares de l'érable descendaient en silence, et bientôt les grands dômes de soie vive, argentés par la lune, allaient se confondre avec l'herbe des prés.

Sûrement, pour lui, l'ordre était de rejoindre son groupe, et chaque minute perdue pouvait être fatale à lui-même et à ses compagnons. Ruisselant d'eau, sans fusil, il enjamba son parachute. Je le conduisis à quelques pas plus loin, où se trouvaient des marches escaladant le talus. Il titubait comme un homme ivre ; et cependant, avant de disparaître, il se retourna vers moi :

— Le parachute, me dit-il, pour vous. *Good-bye.*

Je lui répondis par un petit signe d'amitié. L'ombre disparut, puis réapparut au fond du jardin pour franchir le mur et s'évanouit à tout jamais.

A mon retour, je songeais, en traversant la route déserte qu'éclairaient les derniers rayons de lune, que demain, sous un autre visage, sous des aspects différents, l'exemple, la grandeur des « poilus » de 1914 allaient se renouveler ici.

Le parachutage (nuit du 5 au 6 juin)

Au matin, je revins chercher le parachute, auquel je tenais comme à une relique. Les jours suivants, bien des fois, j'interrogeai des parachutistes pour savoir le nom de ce nouveau Moïse sauvé des eaux, mais personne ne put me donner aucun détail à son sujet.

Nota : *Ce fut longtemps après que je reçus une lettre d'un habitant d'Épernay qui avait logé ce parachutiste et m'annonçait sa mort dans le parachutage d'Arnheim.*

VI

LES PARACHUTISTES

Rassemblés dans une chambre, derrière nos fenêtres, nous entendîmes vers 2 heures du matin des pétarades de moteurs sur la grande place. La lune était couchée, et nous n'apercevions plus rien. Mais, aux cris poussés en allemand, il n'était pas difficile de deviner que les *Flak* s'enfuyaient. Des motocyclettes passèrent en trombe. Quelques autos, tous feux éteints, partirent vers Carentan, et ce fut le silence.

Seules, les mitrailleuses du clocher, continuaient à tirer par larges rafales. J'entrouvris une fenêtre : les avions passaient toujours, mais très haut. De temps à autre, nous entendions des petits bruits de crécelle furtifs et courts, analogues au cri de la perdrix appelant ses poussins.

Vers 3 heures, nous aperçûmes sur la place, au pied des arbres, des lueurs d'allumettes enflammées, puis les points rouges de cigarettes, puis une lampe électrique éclaira le cadavre du parachutiste. Et il nous sembla, à la lueur de cette torche, que des hommes étaient couchés au pied des arbres. Nous en discutâmes longtemps : ces hommes sont-ils allemands ? Sont-ils tommies ?... Des Allemands, au milieu de ce drame, ne seraient pas couchés au pied des arbres, mais debout ou embusqués dans les maisons.

Peu à peu, la nuit commença à se fondre, l'aube laiteuse marqua quelques contours, les contours se précisèrent, et, stupéfaits, nous vîmes la place occupée non par des Allemands ou des Tommies, mais par des Américains. Nous reconnûmes d'abord leurs gros casques arrondis que tous, nous avions vus reproduits dans les revues allemandes. Certains dormaient ou fumaient, couchés au pied des arbres ; d'autres, en file derrière le mur et le petit bâtiment communal appelé « poids public », l'arme à la main, guettaient l'église hostile. Leur aspect farouche et négligé nous faisait penser à des bandes de gangsters de cinéma arrivés tout droit d'Hollywood. Les casques étaient recouverts d'un filet de corde kaki ; les figures étaient pour la plupart barbouillées de suie, à la façon des héros de romans policiers.

Leur tenue, pour nous qui étions habitués à la raideur et à la correction allemandes, semblait vraiment négligée. Pas de bottes, mais des chaussures marron surmontées de petites guêtres de cuir. Des rubans de balles de mitrailleuses passés à leurs épaules s'enroulaient autour de leur ceinture. En plus de leur mitraillette, un énorme revolver débordait largement sur leur cuisse. Leur silhouette n'avait aucune ligne ; la vareuse ample, toute en plis, d'une teinte indéfinie, entre le gris, le vert et le kaki, s'ouvrait sur la poitrine en une vaste poche dans laquelle s'entassaient munitions et vivres.

Il y avait aussi une poche pour les pansements, des poches aux pantalons ; sur les côtés et en arrière, des poches le long des jambes. En outre, le long du mollet droit, serrée par deux courroies, était fixée une longue gaine garnie d'un poignard.

C'est ainsi que les soldats d'Amérique nous apparurent pour la première fois à l'aube du 6 juin 1944. Depuis, ce costume, qui nous semblait innommable, nous parut, quand nous eûmes le loisir de l'étudier, être la perfection même. Il permettait à l'homme qui le portait, non pas de briller à la façon du sergent recruteur du temps de nos rois, mais d'emporter avec lui le maximum de munitions et de vivres sans gêner ses mouvements. Il était conçu pour la guerre et non pour les salons.

Cependant, un parachutiste tout semblable aux autres vint frapper à ma porte. J'allai ouvrir. Il se présenta :

— Capitaine Chouvaloff.

Et il me demanda mon nom.

— Voudriez-vous, ajouta-t-il, me dire où se trouve le commandant allemand de votre ville ?

Je lui offris de l'accompagner. « O.K. », me dit-il. Il me tendit les « chewing-gum » et nous partîmes ensemble. Il ne parlait pas. Un jeune homme de la bourgade se joignit à nous. Méfiant, le capitaine nous fit marcher devant lui et, après avoir sorti son revolver, il ordonna au jeune homme d'enfoncer les portes. Le commandant avait d'ailleurs fui avec ses *Flak*.

Quinze jours plus tard, je rappelais cette anecdote au capitaine Chouvaloff, qui était devenu pour moi un ami, et il s'excusait en me disant :

— On nous avait tellement raconté d'histoires de Français collaborateurs que nous avions un peu peur de vous.

Pourtant, dans cette nuit du 5 au 6 et plus tard, les Français ont fait tout ce qui était en leur pouvoir pour aider les parachutistes. Des échelles se sont posées au bon endroit le long des toits, des portes de jardin se sont ouvertes pour permettre le passage.

Quand l'Allemand interrogeait, personne n'avait rien vu ; quand le soldat au masque de suie demandait à son tour, tout le monde savait et disait où était embusqué l'Allemand. Des parachutistes égarés jusqu'à Saint-Germain-de-Tournebut et Quinéville ont été ramenés à leur unité par des Français qui les guidèrent dans la nuit sur plus de dix kilomètres.

Deux Français, le père et le fils conduisirent des parachutistes américains à travers les marais d'Appeville dont les hauteurs voisines étaient occupées par les Allemands. Ils avaient décidé de leur faire rejoindre leurs unités autour de Saint-Côme-du-Mont. Pataugeant dans l'eau parfois jusqu'aux genoux ils se hâtaient, souvent à découvert. Une patrouille allemande les aperçut, les balles rageusement fouettèrent l'eau autour d'eux. Et soudain le père s'écroula mort. Malgré son immense douleur, la colère dans l'âme, le fils continua son chemin. Il venait de perdre ce qu'il avait de plus cher au monde, mais le devoir commandait et il l'accomplit jusqu'au bout.

A Picauville, dans le canton de Sainte-Mère-Église, où les parachutistes combattirent seuls pendant cinq jours, les paysans assurèrent la subsistance d'un grand nombre d'entre eux. La nuit, on les faisait entrer à la table familiale ; vite, ils buvaient du lait et mangeaient le pain noir avant de retourner se mettre à l'affût.

De l'autre côté des marais débordés, aux Moitiers-en-Bauptois, quatre-vingts parachutistes étaient tombés. Complètement isolés, ils allaient infailliblement être tués ou faits prisonniers.

Les ponts, bien gardés par les Allemands, étaient infranchissables. Le marais était dangereux à traverser en bateau par nuit noire. Des arbres affleuraient à la surface de l'eau, de larges vasières émergeaient, et l'année précédente, dans ces mêmes parages, des fermiers qui chassaient de nuit des étourneaux au filet s'étaient noyés.

Cependant, des paysans n'hésitèrent pas. Sur leurs petites barques plates, qui pour la plupart étaient restées cachées pendant plusieurs années, ils firent monter les parachutistes. Pagayant loin des ponts, entre les champs de roseaux, ils amenèrent les soldats de l'autre côté, sur la rive du village de Montessy. Toute la nuit, les minuscules esquifs voguèrent d'une rive à l'autre. Les paysans entendaient les Allemands se passer les consignes au moment des relèves.

Ces secours continuèrent malgré les méfiances des premiers jours, qui empêchèrent les parachutistes de tirer tout le profit de l'aide que nous leur apportions de si bon cœur.

Quelques jours plus tard, il y aura des Français pour conduire encore de nuit les soldats américains allant à l'attaque. Les petites barques franchiront à nouveau les eaux noires et mystérieuses peuplées de « goublins » par l'imagination populaire et sur lesquelles flottent encore les ombres tragiques des héros de Barbey d'Aurevilly et de Jean de La Varende.

A un colonel qui lui demandera, étonné et émerveillé, son nom et son adresse, un petit Français de vingt ans répondra crânement :

— Ça ne vous regarde pas ! Je suis un Français, donc votre ami, et cela doit vous suffire !

De nombreux planeurs s'écrasent contre les haies normandes...

6 juin 1944 au matin. Les C-47 viennent de lâcher les planeurs, chargés d'hommes et de munitions, et repartent en Angleterre en chercher d'autres.

Un planeur Horsa, du type le plus grand, a buté à l'atterrissage contre une haie bordant la route de Ravenoville, à la sortie de Sainte-Mère-Église.

Le capitaine Robert Piper devant un planeur disloqué.

Un planeur a heurté le transformateur de Sainte-Mère-Église, rue des écoles.
Photo prise par un de ses occupants, Léonard Lebensen, de la 82ᵉ Division aéroportée.

VII

LE MATIN DU 6 JUIN

Le soleil se levait. Beaucoup d'habitants étaient sortis sur le pas de leur porte et sur la place. Tout était calme : pas une balle, pas un obus. Dans les arbres, sur les toits de l'église, de l'hospice, de la mairie, les grands parachutes de soie, libérés de leur charge, flottaient doucement. D'autres, à terre, faisaient de grandes taches multicolores, et déjà, d'un œil d'envie, les enfants les contemplaient. Chacun racontait à son voisin les aventures de la nuit : les parachutistes étaient tombés partout, dans les cours, dans les jardins, sur les toits.

Sauf dans le parc de la Haule et dans une cour intérieure près de laquelle se trouvait, au premier étage, un bureau de *Flak,* les pertes étaient faibles au-dessus de Sainte-Mère-Église. Il faut vraiment beaucoup de balles pour tuer un homme en mouvement la nuit.

Je voulus retourner au parc de la Haule. A l'entrée, un fantassin allemand était étendu mort. Près de la pompe, notre matériel d'incendie était resté à peu près intact. Le feu achevait de brûler la maison, les granges et les étables qui en dépendaient.

Dans les arbres du parc, les cadavres étaient suspendus au-dessous de leur parachute. D'autres, qui s'étaient débarrassés de leurs liens, gisaient à terre, arrêtés dans leur fuite par les balles des *Flak.* Le malheureux qui était tombé dans le brasier avait roulé en se débattant assez loin de la maison, et son corps tout noir fumait encore. Un parachute avait coiffé le sommet d'un cèdre géant, et l'homme avait réussi à se glisser en bas de l'arbre.

Dans un petit champ où je me rendis ensuite, deux planeurs avaient atterri sur une haie. Les grandes ailes étaient fracassées, mais le corps des planeurs était intact, et les pilotes devaient être saufs. A travers les micas du poste de pilotage, on apercevait dans la carlingue de l'un d'eux une « jeep » tout équipée, et dans l'autre un canon.

Quelques mètres plus loin gisait, au revers d'un fossé, un soldat, la jambe cassée. Un habitant, penché sur lui, un grand bol de lait à la main, le faisait boire.

Dans les rues, la manœuvre commençait. Des sections, l'arme sous le bras, marchaient en file, rasant les murs, la cigarette aux lèvres, ou mâchonnant le « chewing-gum ». D'autres, des sections de réserve, sans souci, dormaient sur la place et dans le clos du Manoir.

Sur les hauteurs de Capdelaine, quelques balles sifflaient. Plusieurs prisonniers allemands passèrent, les mains sur la tête, emmenés vers Chef-du-Pont. Il était environ 11 heures quand un obus allemand éclata dans un jardin ; quelques autres passèrent en sifflant et allèrent se perdre un peu plus loin, vers Gambosville.

La bataille allait commencer.

A l'assaut de l'église pour déloger les francs-tireurs allemands embusqués dans le clocher.

Patrouille de parachutistes de la 82ᵉ Division dans les rues de Sainte-Mère-Église, certains se servant de che-vaux et de charrettes abandonnées par les Allemands. La jeep est arrivée par planeur...

Dans Sainte-Mère-Église. Au carrefour de la Nationale 13 et de la route de la mer.

Le général Maxwell Taylor, commandant la 101e Division.

Le général Eisenhower, commandant en chef des Forces Alliées avec le major général T. Wyche, commandant la 79e Division américaine.

Les généraux Ridgway et Gavin, commandant la 82e Division aéroportée.

Lieutenant-colonel Edward C. Krause, commandant le 3ᵉ bataillon, 505ᵉ parachutiste. Sa mission, la prise de Sainte-Mère-Église.
Photo prise le 9 juin 1944.

VIII

PREMIERS COMBATS

Les forces en présence se décomposaient ainsi :

Du côté américain, une division aéroportée, la 101e, était tombée en ordre très dispersé en arrière des marais bordant la côte, depuis Ravenoville et Sainte-Mère-Église jusqu'à Saint-Côme-du-Mont. Elle avait comme mission de s'assurer la possession des chaussées conduisant à la mer et, en outre, des points d'appui sur les marais en avant de Vierville, Angoville et Saint-Côme-du-Mont.

Une deuxième division aéroportée, la 82e, commandée par le général Ridgway, avait été jetée pour flanquer à l'ouest la 101e. Sa mission était de s'assurer une base défensive à Sainte-Mère-Église en occupant solidement la route nationale n° 13 et, d'autre part, de tenter d'établir des têtes de pont sur le Merderet.

Sur la localité de Sainte-Mère-Église était tombé le 3e bataillon du 505e parachutiste (Colonel Ekman). Le bataillon était commandé par le lieutenant-colonel Krause. Le 2e bataillon du même régiment (Lt-colonel Vanderworte) avait atterri, bien groupé, au nord de Sainte-Mère-Église, entre le Haras, Neuville-au-Plain et Beaudienville.

En face de ces bataillons, les forces allemandes étaient bien nombreuses.

Au sud, à Fauville, deux compagnies étaient massées, avec les *Flak* échappés la nuit précédente de Sainte-Mère-Église.

A l'est, autour de Beuzeville-au-Plain et de son château, se trouvaient deux compagnies de Géorgiens commandées par des Allemands.

Au nord et au nord-ouest, accouraient depuis minuit à Neuville-au-Plain des troupes venant de Fresville, d'Émondeville et même de Montebourg, troupes bien armées, avec tanks et canons.

Enfin, à l'ouest, vers le village de La Fière, de petits éléments épars s'étaient rassemblés sur les hauteurs dominant les marais, à Cauquigny et Amfreville.

Vers 13 heures, les balles sifflèrent nombreuses au-dessus des arbres, puis les batteries de Fauville, installées dans le parc du château Chappey et sur la route nationale n° 13, au sommet de la crête, commencèrent à tirer à obus fusants. Elles prirent comme cibles les issues de Sainte-Mère-Église vers Carentan. Un ancien combattant échappé au massacre de l'autre guerre tomba. Au même instant, un père de famille, ancien prisonnier de guerre, agonisait dans sa demeure. Sainte-Mère-Église allait payer le prix de sa libération.

Sur les toits, les éclats d'acier claquaient comme de gros grêlons. Un officier que je rencontrai nous demanda de ne pas circuler et de nous réfugier dans les abris.

Or, à Sainte-Mère-Église, il n'existait pas d'abris profonds à cause des sources, toutes proches de la surface. Certains, dont les jardins se trouvaient derrière la maison, y avaient creusé des tranchées. Mais beaucoup d'autres préférèrent à un refuge incertain la partie de leur maison qu'ils jugeaient la plus résistante. Quant à nous, suivis d'une grande partie des habitants de notre quartier, nous gagnâmes en hâte un fossé près d'une petite fontaine, dite fontaine Saint-Méen, à cent mètres à peine de chez nous. Ce n'était pas parfait, mais c'était mieux que de rester sous les arbres de la place.

Au moment de notre départ, une maison commençait à brûler dans la rue principale ; une toute jeune fille, très belle, venait d'être atteinte mortellement et se mourait sur son lit ; un ancien prisonnier de l'autre guerre, insouciant du danger et voulant se rendre compte de la situation, venait d'être horriblement atteint et, aux portes de la mort, oublieux de lui-même, ne pensait qu'à la sécurité de sa compagne.

Cependant, peu après notre installation dans le fossé, que nous avions tapissé de parachutes à cause de l'humidité, d'autres batteries entrèrent en action. D'après la direction du tir, il nous fut facile de les identifier. C'était de grosses pièces camouflées dans des blockhaus, près du village d'Azeville. Ces pièces, installées sur affût tournant, pouvaient tirer dans toutes les directions, et elles semblaient en ce moment régler leur tir encore incertain sur la route de la mer, à trente mètres de nous.

Un sergent de parachutistes, nommé Mac Leod, vint pendant quelques instants bavarder avec nous :

— La situation nous dit-il, n'est pas mauvaise, mais les tanks américains devraient déjà arriver de la côte. Les officiers nous ont dit que le débarquement n'avait pas eu lieu encore parce que la mer était mauvaise et pour d'autres raisons que l'on ne m'a pas expliquées. Ne sortez pas, ajouta-t-il, il y a des noyaux d'Allemands partout, et nous venons d'en déloger de la tranchée de ce grand champ.

Il nous montrait un endroit où nous étions allés deux heures plus tôt, les enfants et moi, chercher des parachutes pour notre tranchée. Il nous parlait encore, quand une rafale d'obus le contraignit à se terrer. Il nous fit un signe amical de la main.

— *O.K.*, nous dit-il, à bientôt.

En pleine bataille, au carrefour de la route de la mer et de la Nationale 13.

Les civils vont se réfugier dans les fossés alentour ...

IX

LA NUIT DANS LE FOSSÉ

L'ombre commençait à envahir notre fossé, et de gros nuages s'accumulaient dans le ciel. Nous venions de distribuer du lait condensé aux tout petits enfants. Les Américains avaient installé un de leurs canons tout près de nous, et les obus passaient au-dessus de nos têtes.

Puis une batterie allemande de petits canons de campagne lui répondit. Les coups courts frappaient un bouquet d'arbres, à vingt mètres en avant de nous, du côté de la route des Clarons. Notre fossé était pris d'enfilade, et sur ce versant nous n'étions protégés par aucun parapet. Le canon américain, qui envoyait ses projectiles assez loin vers Turqueville, raccourcit brusquement son tir et prit à partie la batterie allemande toute proche.

En deux minutes, elle était réduite au silence.

Deux jours après, je m'aventurai de ce côté. Un des canons allemands, fracassé, avait roulé dans le fossé sur la route des Clarons, tout près du premier carrefour, et trois cadavres gisaient à côté de lui.

★
★ ★

Ce fut un peu avant la nuit que le malheur arriva. Un obus éclata juste au-dessus de nous : les branches des arbres craquèrent, et nous fûmes couverts de terre, de débris de bois et de feuilles. Un cri de femme s'éleva :

— Je suis touchée !

Les enfants se mirent à leur tour à se plaindre !

— Bibi oreille ! geignait un tout petit.

Quelques minutes plus tard, nous nous aperçûmes qu'à deux mètres de nous une jeune femme gaie, élégante, mère de trois petits enfants, avait cessé de vivre. Aucune blessure apparente, son visage restait serein : on eût dit qu'elle dormait. Quand la mort la surprit, elle était occupée à distribuer, avec sa générosité coutumière, le peu de vivres qu'elle avait apporté.

La nuit nous ensevelit dans son ombre, des escadrilles d'avions nous survolèrent, les obus passèrent en hurlant au-dessus de nos têtes ou déchirèrent les arbres autour de nous. Vers Beuzeville et le village de Beauvais, les mitrailleuses crépitaient. Dans l'ombre épaisse, j'entrevis deux Allemands en armes passer en courant devant notre tanière. Puis, dans le petit champ, sous les pommiers, on devina les courses folles d'hommes traqués qui fuient pour sauver leurs vies et le galop des poursuivants acharnés au meurtre.

Et, de temps en temps, des sanglots s'élevaient : c'étaient les petits enfants qui appelaient leur maman.

★
★ ★

Quelque chose, dans cette nuit lugubre, devait cependant adoucir l'horreur de cette veillée funèbre. Notre clocher était là, intact encore, et il nous disait de sa voix douce qu'un quart d'heure de grâce venait de nous être accordé, qu'un quart d'heure venait aussi de se terminer.

« Courage, disait-il, il est 3 heures..., 4 heures..., le jour va venir..., 5 heures, le bon soleil va se lever, caresser encore la maman et réchauffer les petits enfants enfin endormis. »

Et il nous arrivait de penser qu'une autre vie palpitait à côté de nous et prenait part à nos malheurs.

X

LE COMBAT DE BEUZEVILLE-AU-PLAIN

Pendant que, haletants, dans notre trou, nous attendions la mort, d'autres drames se déroulaient autour de Sainte-Mère-Église.

A la frontière de la commune, autour du château de Beuzeville-au-Plain, les deux compagnies de Géorgiens avaient tiraillé toute la nuit contre les parachutistes descendant dans les champs et leur avaient fait subir des pertes sensibles. Comprenant, à l'aube, que toute offensive était inutile et qu'ils étaient encerclés, les Géorgiens s'étaient retranchés dans le château et ses communs.

Toute la journée du mardi, attaques et contre-attaques se succédèrent. Les parachutistes étaient allés dans une ferme voisine réquisitionner un jeune homme de seize ans. Ils lui avaient donné un casque, une tenue complète de soldat américain, des cartouches, une mitraillette, et le jeune homme les conduisait à travers les haies vives et leur montrait les passages.

Au soir, les Américains arrivaient aux grilles et entouraient les communs.

La victoire était proche.

C'est alors que le commandement allié s'aperçut que les réserves de munitions étaient épuisées. On ne tira plus que coup par coup, puis on abandonna les mitraillettes pour ne se servir que des fusils, puis, embusqués dans les haies et les fossés, on attendit les Géorgiens pour les tuer au couteau.

Des parachutistes exténués se réfugièrent dans une petite maison de paysan. Ils demandèrent à la femme de les cacher.

— Plus de munitions, dirent-ils, les Allemands vont venir nous tuer, c'est fini pour nous !

Heureusement, à cause de la nuit qui tombait et de la possibilité d'un piège tendu, les deux compagnies ennemies n'osèrent pas s'aventurer dans la campagne.

Et soudain, vers les 10 heures du soir, venant du fond de l'horizon, les soldats américains entendirent le vrombissement immense d'escadrilles innombrables accourant au secours. Comme la veille, elles passèrent au-dessus de Sainte-Mère-Église par longues vagues successives, et les grands planeurs se détachèrent et vinrent se poser sur les champs de bataille. La nuit était complète, une petite pluie fine épaississait l'atmosphère. Sur la terre toute noire, les fragiles oiseaux se posèrent au hasard : beaucoup s'écrasèrent. A huit cents mètres du château, le long de l'avenue de la ferme de La Londe, bordée d'arbres centenaires, cinquante débris au moins gisaient pêle-mêle, avec des cadavres déchiquetés.

Mais le sacrifice n'était pas vain. Les rubans de cartouches à mitraillettes, les grenades, les engins métalliques étaient intacts.

Dès le mercredi à l'aube, la bataille reprenait avec furie.

★
★ ★

A l'intérieur du château, dans la grande cuisine familiale, près de la magnifique cheminée moyenâgeuse, assis sur un canapé, le capitaine allemand commandant les Géorgiens fumait. Près de lui, son médecin s'affairait autour des blessés. De temps à autre, un agent de liaison venait rendre compte de la situation de sa compagnie et recevoir des ordres. Très calme, le capitaine écoutait le bruit de la bataille, les balles qui claquaient sur les murs, les éclatements des grenades américaines dans la cour et les buissons qui bordaient l'étang.

Il était environ midi quand un soldat à la face plate d'Asiatique se présenta. Il donna des explications et remit à son chef un papier.

— Regardez bien cet homme, dit le capitaine aux civils réfugiés dans un angle de la salle, car vous ne le reverrez plus : c'est le plus brave d'entre les braves.

Et d'une tape amicale sur l'épaule, il le congédia.

Debout maintenant, sa casquette d'officier allemand sur la tête, calme, il semblait réfléchir.

Une grande flamme monta, qui jeta des lueurs fauves sur les cuivres. Les communs brûlaient. De grands cris s'élevèrent, puis des hurlements de douleur, et les premières faces barbouillées de suie apparurent dans la cour.

Alors, le capitaine se servit un grand verre de cidre.

— A votre santé ! dit-il.

Et il l'avala d'un trait.

Puis il se rendit vers la porte, sans armes, sa badine à la main. Il l'ouvrit et, se retournant à demi :

— Adieu, messieurs, dit-il simplement.

Il disparut... Son corps ne fut pas retrouvé.

Le médecin-major, à son tour, se leva, et sans un mot, sans arme, sans casque lui aussi, crânement, il alla à son destin.

A vingt mètres de la porte, il tomba, la tête traversée d'une balle.

Voilà les hommes fanatisés et magnifiques auxquels durent faire face, à cet endroit, les soldats d'Amérique. Aucun blessé, aucun prisonnier ne sortit de Beuzeville-au-Plain.

Deux parachutistes du 505ᵉ Régiment étudiant une carte.

La rue principale, le 6 juin 1944. Les paras utilisent les divers moyens de locomotion abandonnés par les Allemands.

Les paras fouillent les maisons à la recherche des derniers francs-tireurs.

Sur la place à Sainte-Mère-Église, G.I faisant sa toilette dans son casque.

Progression difficile dans les vergers normands.

XI

LES COMBATS AUTOUR DE CAPDELAINE ET DE LA FIÈRE

A l'autre extrémité de la commune, la bataille faisait également rage. Les Allemands, partant dans la matinée de mardi de Neuville-au-Plain, refoulaient peu à peu les parachutistes du lieutenant Turnbull vers Capdelaine.

Résolument, à cette pointe extrême de l'avance américaine, ils avaient pris l'offensive.

Dans la soirée de mardi, ils arrivèrent dans les grands clos à quelques centaines de mètres de la ferme de La Rosière, heureusement vide de ses habitants et qui flambait.

Comme dans les autres secteurs, les munitions manquèrent jusqu'à l'arrivée des planeurs.

Le mercredi matin, les Allemands se trouvaient dans les parages du chemin des Trois-Ormes. Cinq de leurs tanks, embusqués à Neuville-au-Plain, appuyaient l'attaque et tiraient sans arrêt vers Capdelaine.

Dans l'après-midi, ils firent un suprême effort. Épaulés par les cinq tanks qui, de Neuville, s'avançaient vers Sainte-Mère-Église, ils pénétrèrent par la vallée, dite vallée de Misère, jusqu'au Haras. Cent mètres plus loin, c'était la crête et la route descendant au cœur de la ville.

Les Américains sentirent le danger. Avec leur cran admirable, sans souci des munitions qui, de nouveau, allaient manquer, ils se jetèrent dans la bataille. Collés aux Allemands, camouflés dans des petits trous individuels, étroits et profonds, ils fusillaient à bout portant, puis, dès que l'ennemi reculait, bondissaient, le poignard levé.

Bientôt, la vallée de Misère se couvrit de cadavres allemands... Nous les retrouvâmes quelques jours plus tard, tombés en longues files dans les fossés, poignardés à l'entrée des barrières, face à la ville, par l'ennemi qui les attendait, caché derrière les « potilles de soutien » [1].

Une tradition orale expliquait pour nous ce nom : « vallée de Misère ». Il semble qu'autrefois, aux temps malheureux de la guerre de Cent ans, Sainte-Mère-Église occupait cet emplacement.

Des maisons de torchis couronnées de chaume s'accrochaient à ces pentes en un long sillon courant jusqu'à la vieille abbaye des Noires-Terres. Or, par une sombre journée d'hiver, des troupes anglaises en retraite vers la mer, troupes composées de mercenaires grossiers et cruels comme il s'en trouvait à cette époque, envahirent la bourgade, torturèrent et massacrèrent les habitants, pendirent, brûlèrent, puis, ivres de sang et de carnage, allèrent tuer les moines de l'abbaye.

Les quelques malheureux qui avaient pu s'enfuir revinrent, hâves et déguenillés, vécurent quelques années dans des huttes misérables, à proximité des cadavres des leurs, puis moururent tous de la peste.

Sainte-Mère-Église fut alors rebâtie à son emplacement actuel, sur l'autre versant de la colline, autour de l'abbaye de Courtomer. La chapelle abbatiale du XIIe siècle fut embellie et agrandie, et devint l'église paroissiale.

Le 6 juin 1944, cette vallée de Misère a connu, une fois de plus, la guerre, la mort, l'incendie, mais elle sera désormais une vallée de gloire, car ce sont ses haies et son sentier qui ont marqué l'arrêt définitif de l'Allemand aux portes de Sainte-Mère-Église.

*
* *

A l'ouest, autour du village de La Fière dépendant de Sainte-Mère-Église, le 1er bataillon du 505e et des éléments disparates des

---

1. « Potilles de soutien » : troncs d'arbres équarris soutenant les barrières des champs.

507e et 508e avaient, pendant toute la journée de mardi, réduit les îlots allemands établis sur les hauteurs, interdit à l'ennemi le passage du pont et prêté main-forte au petit détachement occupant les issues de Chef-du-Pont vers les marais.

A la tombée de la nuit, des petites tranchées individuelles étaient creusées tout le long du marécage, large de cinq cents mètres.

Au soir, la situation était devenue tragique. Les Allemands, venant de Cauquigny et appuyés par trois tanks, s'étaient glissés par la chaussée et essayaient de forcer les hauteurs. Les munitions étaient rares et les parachutistes avaient dû stopper les blindés, à bout portant, avec leurs grenades à main et un *bazooka*.

Le lendemain matin, en plein jour, vers 8 heures, des escadrilles de secours, volant au ras du sol, avaient laissé tomber des parachutes contenant des vivres et des munitions. Les Allemands avaient tiré au canon, et bientôt des fermes s'étaient écroulées et flambaient.

Dans l'eau parfois jusqu'aux épaules, englués dans la vase et les roseaux, sous le feu nourri des mitrailleuses installées de l'autre côté de l'eau, au village de Cauquigny, les soldats américains arrachaient au courant les parachutes et leur précieuse cargaison.

L'eau giclait sous les projectiles ; les hommes mouraient ou, blessés, s'enfonçaient à jamais dans les eaux noirâtres, mais le travail continuait.

A 11 heures, les mitrailleuses américaines, réalimentées, ouvraient de nouveau le feu. La chaussée et le marécage devenaient un *no man's land*.

Un grand héron, inquiet de ce qui arrivait, s'envola lourdement ; des canards s'enfuirent au ras de l'eau, troublés par ces terribles besognes qui occupaient les hommes.

En arrière, dans tous les herbages de Sainte-Mère-Église, des milliers de vaches, de cette race cotentine la plus belle de France, agonisaient côte à côte avec les hommes. Les intestins énormes bouillonnaient, et des essaims de mouches accouraient à la curée. D'autres bêtes, les pattes coupées par les obus, meuglaient, tandis que des poulains affolés bondissaient par-dessus les haies pour recevoir plus loin le coup fatal.

Le soir, là aussi, des renforts arrivaient de la côte. L'attaque des marais allait commencer le lendemain par la prise du village de Cauquigny, écrasé sous les bombes.

Quelques jours après, les habitants rentrant dans leur village y trouveront les compagnies allemandes couchées le long des débris de murailles et dans les sentiers, dormant là leur dernier sommeil.

XII

DERNIERS COMBATS. ARRIVÉE DES TANKS

Sur notre petit secteur, le mercredi, vers 14 heures, les batteries d'Azeville intensifièrent leur tir. C'était un véritable barrage au-dessus de nous. Du nord, la bataille se rapprochait. Le crépitement des mitraillettes, ponctué par le bruit des éclatements de grenades à main, nous rappelait, amplifié, le bruit des flammes attaquant des branches de résineux.

Il nous parut que les Allemands redescendaient les pentes du côté de la Pointe Colette et tentaient d'occuper la route de la mer.

En cas de réussite, les renforts américains ne pourraient plus parvenir à la côte que par des chemins secondaires. Deux parachutistes allant à la bataille se jetèrent dans notre fossé pour se reposer un instant

— Nous n'avons plus de munitions, nous dirent-ils. Nous n'avions pas trouvé grand-chose sur les planeurs ; les camarades étaient passés avant nous. Si dans quelques heures les tanks n'arrivent pas de la côte, nous sommes perdus !

— Enfin, ajouta l'un d'eux en souriant, nous avons encore nos poignards !

Et sur le *O.K.* traditionnel, ils disparurent vers le nord, le long des haies.

Hélas ! pour nous aussi, c'était la fin qui se préparait. Aucun ne se confiait à son voisin, mais tous pensaient déjà aux vengeances allemandes, aux exécutions le long des murs, à la mise à feu et à sang de Sainte-Mère-Église, puis au pilonnage effroyable de l'aviation américaine défendant les siens contre l'avance allemande et écrasant ce qui resterait de la ville et de ses habitants.

Les grosses pièces d'Azeville crachaient sans arrêt leurs flammes et leurs obus d'acier. Les enfants criaient, les petits de la morte appelaient toujours leur maman restée assise au milieu de nous. Des hommes seuls seraient demeurés là, quand même, mais, avec des femmes et des bébés, la situation était intenable.

Nous décidâmes de partir et de nous réfugier dans une cave à l'entrée de la ville, cave sans sécurité, en sous-sol sur une face seulement, mais dans laquelle nous pourrions être debout, plus loin de la morte, avec des murs faisant écran entre les flammes des obus et nous-mêmes. Nous cacherions les enfants sous de la paille et quelques couvertures, et nous attendrions la délivrance ou la fin de notre vie.

J'allai donc immédiatement explorer la route à suivre. Il y avait un fossé à franchir avec une voiture de bébé, puis une prairie, puis une cour encombrée de cadavres d'animaux.

Pendant un léger répit de l'artillerie, nous quittâmes notre trou cahin-caha, telles des bêtes traquées en quête d'un nouveau gîte.

La situation n'était pas meilleure que dans notre fossé. A notre arrivée, un percutant éclata sur la porte d'entrée de la cave ; des débris de pierre et de fonte furent projetés à l'intérieur, et une fumée épaisse emplit notre réduit. Une partie de notre groupe s'enfuit vers un abreuvoir desséché situé à deux cents mètres. Malchance. Destin... Un homme allait y trouver la mort ; un autre une blessure grave.

Voici que tout à coup, alors que nous n'attendions plus qu'un dénouement tragique, dominant le bruit des obus, des fusils et des balles, un grondement sourd et prolongé arriva distinctement à nos oreilles. Les nerfs tendus, nous écoutions...

Le grondement devint plus distinct, des bruits métalliques s'y mêlèrent et le tout se transforma. C'était maintenant, au loin, un roulement ininterrompu. Une joie immense nous pénétra, et un grand cri jaillit :

— Les tanks ! La route de la mer est libre, la côte est à nous !

Et en dépit des obus, sans nous soucier du danger toujours présent, nous nous précipitâmes à la route.

En face des maisons neuves, les premiers tanks américains apparaissaient.

C'étaient de petits tanks, mais pour nous ils étaient beaux, ils étaient grands. A leur poste d'observation sur la tourelle, les servants nous apparurent, majestueux comme des dieux, puissants comme des géants. Ils étaient la Victoire, ils étaient pour nous la Délivrance !

A toute vitesse, ils tournèrent au grand carrefour et montèrent au point le plus menacé : Capdelaine.

Quelques secondes plus tard, nous entendions leurs canons qui décidaient de la bataille.

★
★ ★

Les parachutistes avaient remporté une grande victoire ; la tête de pont de Sainte-Mère-Église, la première tête de pont américaine en France, tout entière incluse dans le canton de Sainte-Mère-Église, était créée. La liaison entre Sainte-Mère-Église et la côte est du Cotentin était assurée.

Cette seule enclave, sillonnée de petites routes, la plupart tortueuses, et les plages de Foucarville, Audouville, Saint-Martin-de-Varreville, Le Grand-Vey, plages au sable dur, sans roches, devenues brusquement des ports pouvant rivaliser avec les plus grands du monde, allaient permettre à toute l'immense armée et à ses convois de matériel et de ravitaillement de se déverser sur la France et l'Europe.

Mais, pour s'emparer du canton de Sainte-Mère-Église, les parachutistes avaient tué des sections entières d'Allemands, fait 364 prisonniers et perdu plus de la moitié de leurs effectifs.

Les premiers prisonniers allemands devant l'hospice de Sainte-Mère-Église, qui devient le premier hôpital militaire, où les blessés américains, français et allemands reçurent les premiers soins.

Après la chute de Sainte-Mère-Église, deux prisonniers allemands épuisés, contre le mur ▶ d'une maison. Le plus jeune, 19 ans, s'appelle Ludwig Dresher.

A quelques mois de distance, au même endroit, devant la mairie, un side-car allemand, et un prisonnier à l'avant d'une jeep.

Pont-l'Abbé (rue aux Juifs).

Montebourg, le 21 juin 1944. Les Allemands ont enfin abandonné la malheureuse ville aux ruines fumantes.

12 juin 1944 : les avant-gardes américaines pénètrent dans Carentan.

Saint-Lô, le 25 juillet 1944.

Seul signe de vie, les convois militaires...

Sainte-Mère-Église. Un obus a éventré une maison, route de la mer.

Sainte-Mère-Église. Les premières jeeps montent la rue principale vers Carentan.

XIII

L'ASPECT DU CHAMP DE BATAILLE

A la fin de cette journée, je ne pus m'empêcher d'aller revoir la vieille église et la borne romaine qui jalonnait, il y a deux mille ans, au temps de César, les routes d'invasion d'alors. Cette borne romaine se dressait encore intacte : une nouvelle guerre venait de passer sur elle sans dommage.

L'église aussi était debout. Des obus avaient troué ses vieux murs, un contrefort avait disparu ; de larges taches lépreuses marquaient l'empreinte des balles sur son clocher, mais l'édifice restait solide et pouvait encore défier les siècles à venir. Calme et sereine, sans souci des blessures, sa voix continuait à marquer le temps.

Les batteries d'Azeville s'étaient tues pour toujours, écrasées par les tanks.

Sur la place, parmi les trous d'obus, c'était un enchevêtrement de branchages, de poutres et de débris des camions allemands.

Près du parc de la Haule, une jument de grand prix et son petit étaient étendus, horriblement mutilés.

Je croisai plusieurs hommes qui, bravement, s'étaient improvisés brancardiers et ravitailleurs. J'appris par eux, qui arrivaient de la rue de Carentan, que des familles entières avaient disparu, ensevelies sous les décombres. Une maison brûlait encore, et avec elle deux cadavres.

Ils m'apprirent aussi qu'au village de Fauville, d'où les premiers obus étaient partis sur Sainte-Mère-Église, des maisons avaient été détruites.

Les cadavres allemands étaient couchés tout au long des fossés dans la région du château Chappey, pêle-mêle avec des débris de tanks. Le château lui-même brûlait, incendié par les Américains, qui l'avaient cru occupé par l'état-major ennemi. Le commandant des *Flak* gisait mort au fond d'un abri, ainsi que le commandant de l'infanterie.

Des bandes ennemies étaient terrées à l'est de Fauville, mais semblaient plus soucieuses de préserver leurs vies que de combattre. L'hospice était épargné, mais tous les communs n'étaient plus qu'un amas de décombres.

Nous dûmes nous séparer bien vite. Des batteries allemandes, dans la direction d'Amfreville, venaient de nous prendre sous leur feu. Il fallait encore renoncer au soleil et à la vie libre, et rentrer à la cave.

★
★ ★

Le lendemain matin, le capitaine Chouvaloff, accompagné d'un officier, vint me trouver :

— Voulez-vous, me dit-il, venir avec moi à la gendarmerie ?

J'acquiesçai. Les gendarmes s'étaient réfugiés dans une ferme du village de Beauvais. Pour arriver à ce village, il fallait monter la rue de Capdelaine et redescendre de l'autre côté, pour tourner au chemin des Trois-Ormes.

Ce fut une dure équipée, faite au pas de course, en rasant les murs, sous les averses de fusants qui balayaient constamment la route nationale.

A l'entrée du chemin des Trois-Ormes et de la vallée de Misère, la bataille venait de se terminer. Dans un petit champ, près du Haras, plusieurs tanks américains gisaient, la gueule de leurs canons morts levée très haut vers le ciel. Sur la route, à l'entrée du chemin, deux tanks allemands avaient été stoppés net, et le feu avait consumé leurs parties vives... Des bras et des jambes émergeaient des tourelles. Deux soldats inconnus, tout noirs, se consumaient lentement.

Deux tanks « Panther » de la Panzer Division ont été anéantis par la 9e Division américaine.

Blindés allemands (Mark IV) mis hors de combat alors qu'ils appuyaient la contre-attaque sur Carentan.

L'aspect du champ de bataille

Dans le sentier, les balles claquaient. Au revers des fossés, il y avait des morts, et les arbres obstruaient le chemin.

Nous nous hâtâmes encore : les Allemands n'étaient qu'à quelques centaines de mètres de nous.

Document de Bob Piper, capitaine de la 82ᵉ Division parachutiste. Embusqué près de l'hospice de Sainte-Mère-Église, il attend la contre-attaque allemande venant de Montebourg...

Un char allemand apparaît...

quelques instants plus tard, il est immobilisé par les bazookas américains.

XIV

L'INHUMATION DE NOS MORTS. LES RÉFUGIÉS

Le vendredi après-midi, nous enterrâmes nos morts. Pas de délégation officielle, nous étions seuls avec eux.

Le Cotentin délivré n'était qu'une partie du canton de Sainte-Mère-Église, et cette partie de France restait encore dans la bataille. Beaucoup d'hommes étaient venus qui s'occupaient à creuser les fosses. D'autres allèrent avec une petite voiture à bras, chercher les malheureux restés sous les décombres de leur maison.

Comme il n'y avait pas de linceuls, on arracha aux arbres les parachutes qui y étaient restés, et les êtres qui nous furent chers partirent pour leur dernière demeure, drapés dans des grands voiles de la soie la plus pure.

L'église n'avait pu les recevoir. Elle était devenue le refuge des sinistrés qui n'avaient plus de foyer. Le Grand Pauvre, qui avait tant chéri les déshérités, les avait accueillis près de son tabernacle. Ils dormaient non loin de Lui, enroulés dans des couvertures allemandes, et parfois une vieille femme venait s'agenouiller à la table de communion pour Le remercier de leur avoir été secourable.

Cependant le Christ bénit nos morts en la personne de notre prêtre, qui récita les prières rituelles ; j'inclinai sur eux le drapeau de la France, et leurs pauvres corps disparurent sous la terre normande qui les rappelait à elle.

Dès le lendemain, le capitaine J. K. Owen, puis le commandant Yuill, des *Civil Affairs,* me demandaient tous les hommes disponibles pour ouvrir d'autres tombes. A côté de la guerre glorieuse, comme une ombre, se tenait l'autre guerre à la face de cadavre, broyant au hasard les meilleurs et les pires.

Pendant des jours et des semaines, nos hommes creusèrent la terre grasse, tandis que les grandes autos blanches garnies de croix rouges, fermées comme des cercueils, venaient, en longues files, apporter au lieu de repos les restes sacrés que rejetait la bataille.

★
★ ★

Les troupes de débarquement attaquent maintenant Montebourg, Amfreville, Pont-l'Abbé et, au sud, Carentan.

Pont-l'Abbé est en ruine, écrasé et brûlé par l'aviation américaine.

Des hauteurs de Capdelaine, on aperçoit, au loin, les lueurs de l'incendie dévorant Montebourg. Souvent les batteries allemandes canonnent nos carrefours. Nous sommes assez semblables à des rats qui sortent après les rafales et rentrent à la menace suivante dans leur terrier.

Jour et nuit, sans trêve ni repos, les convois montent de la côte, amenant aux premières lignes, toutes proches, les hommes et le matériel. De gros tanks rampent, tels des scarabées monstrueux, sur la route de Ravenoville, pendant des heures entières, arrachant l'écorce de la chaussée. Des obus parfois éclatent sur des camions conduits par des Noirs. Les véhicules atteints sont poussés dans les haies par ceux qui les suivent, et le convoi, sans s'arrêter un seul instant, se reforme plus loin.

Un camion militaire américain vient chaque matin nous faire entendre les émissions de la B.B.C. Mais nous savons déjà depuis longtemps tout ce qui intéresse notre secteur.

— Ils ont deux jours de retard ! disons-nous en riant.

Plusieurs fois dans la journée, en effet, des officiers d'état-major ou des services de ravitaillement descendent des lignes si proches et nous annoncent :

— Nous venons de prendre tel carrefour, tel champ, telle ferme.

Et sans carte, nous savons immédiatement où se trouve la première ligne.

Les réfugiés qui arrivent, traînant les voitures d'enfant, portant une petite valise, ou n'ayant plus que leur misère, nous confirment les faits.

L'un n'a plus de famille, l'autre a quitté sa ferme alors que les flammes consumaient les restes de sa femme et de ses enfants ; d'aucuns se sont échappés sains et saufs de l'enfer, et, aux regards des premiers, ils semblent les chanceux et les privilégiés.

★
★ ★

Un soir, les malades de l'asile du Bon-Sauveur, comme un troupeau de pauvres bêtes traquées, conduits par les sœurs, arrivèrent par la route de Chef-du-Pont. Ils s'assemblèrent autour de la borne romaine. Parmi eux, il y avait des monomanes, des hystériques, des détraqués, qui riaient, grimaçaient, convulsaient leurs pauvres faces de dégénérés. Les sœurs les conduisirent dans l'église et, pour les apaiser, récitaient sans cesse le chapelet. Les pauvres d'esprit étaient venus d'instinct se cacher dans ce petit royaume terrestre de Dieu.

Pendant ce temps, les biscuits, les chocolats, les cigarettes et les bonbons pleuvaient sur la tête des enfants, lancés à pleines mains des camions par les troupes d'assaut montant au combat.

★
★ ★

Cependant, le 12 juin au soir, le colonel américain Gann, commandant le secteur de Sainte-Mère-Église et que je connaissais bien, me fit appeler chez lui au titre de Maire pour me demander de faire évacuer d'urgence la population de ma localité.

« J'aurai peut-être besoin de vous et de quelques hommes », me dit-il.

Il avait l'air soucieux...

Je ne pus m'empêcher de rire, et crus vraiment à une bonne plaisanterie : à Sainte-Mère-Église, nous étions tous en pleine euphorie : nous venions d'apprendre la prise de Carentan. Au nord, les Américains tenaient les lisières de Montebourg à 9 kilomètres et la 4e division d'infanterie attaquait vers Quinéville les gros blockhaus de Crisbecq. A l'ouest, le Merderet était franchi et la 90e division U.S.A. frappait durement aux portes de Pont-l'Abbé. Bien sûr, nous recevions encore des obus et, de temps à autre, des balles sifflaient. Mais, de la mer, troupes et matériel déferlaient en une marée gigantesque.

Pour nous, la Tête de Pont était définitive. Quel malheur pouvait nous arriver ?

Cependant, le colonel Gann insistait : « C'est tout à fait sérieux » me dit-il, et après quelques réticences, il se décida à m'expliquer la situation :

« Des forces blindées ennemies dont nous ignorions l'importance et même l'existence, sont apparues brusquement sur les routes Carentan-Baupte et Carentan-Périers. Elles attaquent furieusement nos éléments parachutistes des 501e et 506e qui font des prodiges de bravoure, mais reculent sous le nombre. Or, je viens de recevoir un message formel de l'état-major me disant que si les forces blindées allemandes arrivent à reprendre Carentan, nous évacuerons la tête de pont d'Utah Beach. Tout ce que nous pourrons rassembler de nos troupes sera réembarqué et transporté sur Omaha Beach. C'est l'effectif de trois à quatre divisions qu'il faudra ramener à la mer. Nos navires de guerre feront les barrages nécessaires pour empêcher la progression des troupes allemandes. La retraite sera difficile, et je vous demanderai de rassembler immédiatement le plus d'hommes possible pour servir de guide aux fractions égarées. »

Je compris immédiatement que c'était pour la plupart d'entre nous l'arrêt de mort sous les coups conjugués de nos amis et de nos ennemis !...

Je promis de faire de mon mieux ; j'envoyai le garde champêtre, auquel je ne donnai aucun motif, pour exhorter les habitants de Sainte-Mère-Église et du secteur à se tenir loin de la Nationale 13, et j'attendis... Très peu de mes concitoyens obéirent.

Je ne pouvais cependant pas livrer ce terrible secret dans la crainte d'une indiscrétion toujours possible, et aussi pour ne pas déclencher une redoutable panique parmi une population déjà très éprouvée par les premiers combats.

A 1 heure, le 13 juin, le colonel m'annonça que les premiers tanks ennemis arrivaient aux lisières de Carentan. Des forces blindées avaient été demandées d'urgence à la Iʳᵉ armée U.S.A., mais n'étaient pas même entièrement débarquées.

Des escadrilles d'aviation étaient concentrées en toute hâte en Angleterre, mais il semblait bien difficile de les faire parvenir à temps sur le champ de bataille.

Nous bûmes plusieurs cafés.

Je restais sombre, et Gann comme pour me rassurer, me dit en souriant : « Nous ne perdrons pas la guerre pour si peu. Ce sera un simple raccourcissement du front. »

Mais, tout de même, ce « si peu » c'était la mort certaine pour tant de mes concitoyens !

J'avoue que j'eus peur jusqu'au moment où le colonel me fit demander au petit jour. Il me serra les deux mains avec force : « Les premières escadrilles sont arrivées et elles pilonnent les blindés allemands. Les tanks les plus avancés reculent. La Tête de Pont de Sainte-Mère-Église ne sera pas supprimée. »

Le colonel Gann, bien que d'esprit militaire, n'avait tout de même pu oublier que des populations civiles étaient, dans cette guerre, en contact avec ses troupes et savaient les aider.

XV

VISITE DES PLAGES D'INVASION

Ce fut par une belle journée du milieu de juin que j'obtins enfin du capitaine canadien Tanner, des *Civil Affairs,* un excellent soldat actif et gai, qu'il m'emmenât avec lui dans sa « jeep » visiter les nouveaux grands ports de débarquement. C'était une grande faveur, car l'accès des plages était formellement interdit aux civils. Mais je commençais déjà à avoir l'impression que le « formellement interdit » n'a pas tout à fait le même sens en Amérique que le *verboten* en Allemagne.

Nous partîmes donc par Sainte-Marie-du-Mont, empruntant des petites routes, encaissées et bordées de haies vives, que des équipes de pionniers s'efforçaient d'élargir jusqu'aux talus. Bientôt, à un tournant, nous arrivâmes aux dunes plates bordant la mer.

A perte de vue et sur plus d'un kilomètre vers l'intérieur des terres, des centaines de ballons ressemblant à s'y méprendre à de monstrueux poissons semblaient nager au-dessus de nous : certains à quelques mètres seulement au-dessus des dunes, d'autres plus haut ; d'autres, enfin, se balançaient nonchalamment à plusieurs centaines de mètres de hauteur. Quelques-uns gisaient à terre, à demi dégonflés. Les câbles qui retenaient captive toute cette faune antédiluvienne nous faisaient penser à des algues géantes.

Notre « jeep », pauvre petite araignée perdue au milieu de ces monstres, courait sur des pistes recouvertes d'un épais treillage métallique.

Constamment, comme des cloportes à l'échelle du paysage, les *ducks* amphibies de dix mètres de longueur, montés sur pneus et

Le 6 juin 1944. Sous le couvert de l'artillerie de marine, les bateaux bourrés de troupes foncent vers la plage...

Premier débarquement d'hommes et de matériel à Utah-Beach.

Le 6 juin 1944. Les péniches du débarquement atteignent la plage.

Renforts et matériel arrivent à Omaha-Beach...

munis d'hélices, escaladant les dunes, se vidaient de leur charge et, à cinquante kilomètres à l'heure, disparaissaient à nouveau derrière les monticules de sable.

Çà et là, des collines de caisses étaient accumulées, que des camions emportaient vers les routes.

Au creux des dunes, des débris de toutes sortes étaient amoncelés : *ducks* écrasés, camions, tanks, bateaux, ferraille, comme si un grand naufrage les avait jetés là au cours d'un typhon.

Pas un arbre n'était resté debout après les grands bombardements du début de juin ; rien que du sable et des blocs de ciment arrachés aux blockhaus allemands, et desquels émergeaient les longues tiges de fer rouillées des armatures.

Longtemps, il nous sembla que, minuscules petits insectes, nous glissions au fond d'une mer immense parsemée d'épaves, peuplée d'une flore géante et d'une faune préhistorique.

La « jeep », brusquement, changea de piste et tourna entre deux petites dunes. Le grincement des roues sur le treillage métallique cessa, le sable devint dur ; c'était la plage.

De Foucarville à la baie des Veys, des centaines de bateaux étaient échoués ou flottaient encore : petites péniches, chaloupes, pétroliers, gros cargos massifs. Ils étaient tous à fond plat et se tenaient très droits sur le sable. L'avant des cargos avait été ouvert à la manière des portes d'armoires, et le bateau se vidait de ses « jeeps », de ses camions, de ses tanks, de ses canons.

Sur toute la plage, des autos circulaient entre les grosses carcasses qui, à la marée montante, refermeraient leurs gueules et repartiraient bien vite vers l'Angleterre.

Sans arrêt, les *ducks* arrivaient des dunes, descendaient jusqu'à la mer, entraient dans l'eau ; leur hélice battait les vagues, et ils allaient se ranger le long des bastingages des gros navires flottant encore. Immobiles, ils se laissaient emplir de tout le fret léger : hommes, vivres, vêtements, munitions.

Ainsi, sans perte de temps, chaque cargo pouvait attendre l'heure où la marée allait lui permettre d'ouvrir à son tour son étrave pour dégager ses soutes.

Pour permettre le déchargement des engins les plus lourds ou des énormes caisses, on avait coulé des péniches, reliées ensuite les unes aux autres par un pont métallique, et, le long de ces quais d'un nouveau genre, les camions et leurs remorques venaient se ranger.

Au-dessus de chaque bateau, un poisson monstrueux, retenu par ses câbles, montait la garde.

Au loin, depuis les îles Saint-Marcouf jusqu'à Grandcamp, de noires et puissantes silhouettes se découpaient sur l'horizon. C'étaient les navires de guerre qui veillaient sur l'immense flotte.

★
★ ★

Avant de rentrer à Sainte-Mère-Église, le capitaine nous arrêta sur la côte, près de l'ancien village de La Madeleine, dans la commune de Sainte-Marie-du-Mont. Quelques années auparavant, ce petit hameau normand coulait des jours heureux. Il se composait de plusieurs propriétés confortables, moitié fermes, moitié villas. A quelques centaines de mètres à l'arrière, une très vieille chapelle, enclose dans un cimetière où l'on n'enterrait plus depuis des années, portait avec aisance un petit beffroi ajouré dans lequel, comme dans une cage, sommeillait une cloche. De grands arbres l'entouraient, ifs, ormes et chênes, qui la dissimulaient presque aux yeux du passant. C'était un vieux sanctuaire en retraite qui semblait s'être retiré là, à l'écart, comme une bonne vieille derrière ses carreaux.

De tout le village, maintenant, il ne restait plus rien, pas même des ruines. Le sol était bouleversé. Les quelques pierres qui n'avaient pas été pulvérisées par les obus et les bombes avaient servi, aux Allemands d'abord, puis aux troupes américaines, pour encaisser les routes. La chapelle restait debout, mais elle était toute meurtrie et le chef branlant.

En avant de l'emplacement du village, sur la dune, assez haute à cet endroit et qui dominait la mer, un blockhaus allemand avait été édifié. Les obus de marine l'avaient peu entamé. On y voyait encore les gueules menaçantes des canons émergeant d'une meurtrière étroite, face à la mer. L'intérieur de cette énorme masse de béton armé se composait de plusieurs compartiments séparés par des

Les troupes de choc américaines s'avancent sur la plage, le 6 juin 1944.

Les médecins de la 4ᵉ Division d'infanterie administrent les premiers soins aux blessés des premières attaques à Utah-Beach.

Utah-Beach, 6 juin 1944. Des troupes du 8ᵉ Régiment d'Infanterie, 4ᵉ Division, se reposent un instant le long de la digue, en bordure de mer, pendant que leurs camarades du génie font sauter les mines et organisent des passages à travers les dunes.

portes blindées. Scellée dans la paroi de ciment, une échelle métallique permettait au guetteur d'accéder de l'intérieur au sommet de l'ouvrage et d'inspecter l'horizon avec le minimum de danger.

Dans les chambres basses, des uniformes allemands pourrissaient dans une eau gluante et nauséabonde, pêle-mêle avec des biscuits, des boîtes de conserves, des pansements, des équipements, des grenades et des tronçons d'armes. On sentait que, quelques jours plus tôt, une âpre lutte s'était déroulée dans ce terrier.

★
★ ★

C'était, en effet, à cet endroit précis de la côte qu'avait eu lieu le premier débarquement, suivi d'ailleurs à peu de minutes d'intervalle d'un second, un peu plus au sud, en face du village de Pouppeville.

La mer, pendant cette nuit du 5 au 6 juin, était houleuse. Depuis de longues heures, les gros canons des navires de guerre embossés au large faisaient un barrage d'obus tout le long de la côte, ouvrant les blockhaus, creusant de larges brèches dans la digue et empêchant les guetteurs allemands d'observer les mouvements des navires de transport.

Lentement, prudemment, les cargos chargés de troupes, les L.C.I. [1], passant en avant des navires de guerre, s'étaient approchés à environ deux milles de la côte. Puis d'autres petits bateaux étaient venus se ranger le long des cargos ; c'était les L.C.V.P. [2], assez semblables aux *ducks,* mais non amphibies. Des passerelles rudimentaires leur avaient été jetées. Chargés de leurs armes, de leurs sacs, de leurs outils, de leurs munitions, empêtrés dans leurs ceintures de sauvetage, les fantassins s'étaient laissés tomber dans les petits youyous qui dansaient dangereusement sur les vagues. Entre les hululements des obus, on percevait des appels au secours. Des grappes d'hommes s'agitaient dans l'eau profonde, et les marins, aussitôt qu'ils le pouvaient, les repêchaient à la gaffe. Certains soldats,

1. L. C. I. : *Landing Craft Infantry.*
2. L. C. V. P. : *Landing Craft Vehicles and Personal.*

à cause de leur chargement, avaient mis leur ceinture trop au-dessous de leurs aisselles, et ils étaient entraînés par la mer, la tête en bas, comme des bouchons de ligne mal lestés. Dès que le bateau était complet, de toute la vitesse de son moteur, il se dirigeait vers la côte. Pour gagner du temps, on n'échouait pas sur le sable. Le commandant du petit transbordeur sondait la mer ; dès qu'il sentait que le fond était proche, il donnait le signal : « *All off !* » (Tout le monde dehors !), criait-il. « *All off !* » répétaient les marins. Tous les hommes, d'un seul élan, se jetaient à l'eau. Une petite ligne de tirailleurs se formait alors et se hâtait vers la plage. En même temps, le bateau, à plein gaz, faisait demi-tour pour aller chercher un autre chargement humain.

Vers 6 heures du matin, par un beau soleil, la première vague d'assaut, entièrement composée des troupes d'élite de la 4e division d'infanterie, spécialement choisies et entraînées, atteignait les abords des dunes et de la digue.

Les canons de marine, par leur tir continu au-delà des dunes, fournissaient l'écran protecteur.

Cependant, de quelques blockhaus, les mitrailleuses crépitaient. Des batteries allemandes, nouvellement installées à côté de l'église de Saint-Martin-de-Varreville, tiraient à toute volée. Les obus projetaient l'eau en grandes gerbes ou s'enfonçaient profondément dans le sable.

D'autres batteries, camouflées à dix et douze kilomètres plus au nord, dans les bois de Quinéville, dans les défenses de Crasville et de La Pernelle, tiraient aussi, mais trop court, et battaient les plages où ne se trouvait aucun bateau.

C'est que la flotte de débarquement américaine avait usé d'un stratagème habile : au lieu de cingler directement vers la zone de débarquement, elle avait passé au nord des îles Saint-Marcouf, ce qui, pour l'ennemi, laissait supposer que les atterrissages allaient se produire dans la grande baie entre Ravenoville et Saint-Vaast, dans ces mêmes parages où jadis la grande bataille de La Hougue avait eu lieu.

Cependant, le débarquement continuait. A leur arrivée sur le sable, les soldats creusaient leurs « trous de renard » tandis que de petites avant-gardes tentaient d'escalader les dunes. Sur la plage, le général Theodore Roosevelt, sa badine à la main, assisté du colonel Caffee, à qui allait incomber la mission capitale d'organiser le secteur dénommé sur les plans « Utah Beach », aussi calme qu'à la manœuvre, la carte à la main, donnait des ordres. Une « jeep », la première débarquée, les attendait.

En même temps que la première vague de la 4e division, les L.C.V.P. avaient transporté au rivage des observateurs de marine et les premiers éléments de la 1re brigade spéciale du génie, dont le rôle était de créer immédiatement et à n'importe quel prix des passages pour l'infanterie, à travers les champs de mines des dunes, puis d'ouvrir les écluses afin d'assécher la zone inondée par les Allemands en arrière de la mer. Pendant que les vagues d'assaut creusaient leurs trous, les spécialistes, suivis des fantassins qui les protégeaient, gravissaient les dunes et la digue. Munis de leurs détecteurs, ils faisaient sauter les mines, puis marquaient le sentier à suivre, avec de longs rubans.

La mer, à son reflux, après les avoir pétris de sable, commençait à abandonner des épaves de canots, des caisses, des hommes aussi. En bordure des dunes, les lignes de tirailleurs embusqués subissaient des pertes.

Alors, de nouveaux cargos arrivèrent, et des vagues successives d'hommes furent jetées sur le sable. Peu à peu, la 4e division, sous le feu de l'ennemi, se massait, prête à l'attaque. A quelques kilomètres vers l'intérieur des terres, les avant-gardes de la 101e division parachutiste s'efforçaient, en disloquant les formations allemandes, de lui faciliter le passage.

Malheureusement, les cargos chargés de matériel lourd, les *Landing Craft Tanks* (L.C.T.), ayant à leur bord les vivres, les munitions, les camions et les tanks, étaient en retard. Les vagues frangées d'écume montaient à l'assaut des coques. Ils avaient dû lutter contre les courants et contre la houle pendant la traversée de la Manche.

Avec angoisse, l'infanterie attendait.

Des avions allemands survolèrent la plage et la mer en rase-mottes. Ils lancèrent des bombes sur les bateaux et tirèrent à la mitrailleuse sur les « trous de renard ». Ces aviateurs étaient sacrifiés et le savaient : leur seule pensée était de détruire le plus possible avant d'être tués. Tous furent abattus par la D.C.A. des vaisseaux de guerre.

Puis des escadrilles américaines arrivèrent à leur tour. Elles laissèrent tomber des vivres et des munitions d'infanterie sur la zone de débarquement.

Ce ne fut que dans la nuit du mardi au mercredi que les cargos lourds, L.C.T., s'approchèrent de la côte en nombre important. Il fallut encore attendre l'heure propice de la marée pour les échouer. Alors, la 1re brigade spéciale du génie se mit à l'œuvre. La consigne était formelle : « Dépêchez-vous ! Pas de repos jusqu'au départ des bateaux ! » Trempés jusqu'aux os, grelottants, les hommes ouvrirent les étraves, précipitèrent les caisses du haut des ponts, mirent les moteurs en marche, brisèrent les caisses à munitions, amenèrent les premiers amphibies. Les malades durent travailler, les blessés légers furent contraints d'aider sans arrêt, jusqu'à l'épuisement total. A force d'énergie, on gagna une marée !

Outre trois chaussées étroites et découvertes, une seule route était praticable à travers le pays inondé : la route du Grand-Chemin, rejoignant à la fois Sainte-Marie-du-Mont et la route latérale de Quettehou. Les premiers groupes qui s'aventurèrent sur cette route furent fauchés par les Allemands, qui les attendaient, embusqués derrière les murs des fermes. Il fallut patienter jusqu'à l'arrivée des tanks.

L'infanterie essaya aussi de franchir les marécages. Le génie avait fait sauter les écluses, appelées dans le pays les « tarets », que les Allemands avaient bloquées au ciment armé. Les eaux baissaient. Malheureusement, les marécages se transformaient en vasières, et les soldats s'y enlisaient, tandis que l'ennemi, de l'autre côté de l'eau, à l'abri dans les boqueteaux et derrière les haies, les arrosait de balles.

A la fin de la matinée de mercredi, les Américains furent cependant maîtres de la route. Ils se déployèrent en formation de combat de l'autre côté de la zone inondée.

Alors, à toute vitesse, et par toutes les routes à la fois, tandis que les parachutistes sortaient les poignards et brûlaient leurs dernières cartouches, le 70e bataillon de tanks, précédant la 4e , la 90e et la

9ᵉ division d'infanterie, déferla sur Sainte-Mère-Église. Les observateurs, bien en vue au-dessus des tourelles, offraient à découvert leurs poitrines à l'ennemi.

Toutes ces troupes magnifiques, fraternellement liées à la 82ᵉ division parachutiste et à la 101ᵉ, allaient désormais lutter pendant de longs jours et partager avec elles les mêmes souffrances et la même gloire !

XVI

LE CAMP D'AVIATION DE LA LONDE

28 juin. — Les Allemands continuent à résister farouchement, et cependant le front s'éloigne. Nous entendons toujours le canon, mais au loin, vers Périers et La Haye-du-Puits. La nuit surtout, lorsque le vent souffle de ce côté, nous percevons distinctement le fracas des préparations terribles d'artillerie et des bombardements de l'aviation qui précèdent les attaques. Les projecteurs illuminent le ciel, et les avions de chasse tournent sans arrêt, avec un bruit assourdissant, à moins de cent mètres au-dessus de nos têtes.

Un grand camp d'aviation a été installé à un kilomètre de Sainte-Mère-Église, autour de la ferme de La Londe. Des grues montées sur camions, de gigantesques pelleteuses, des rouleaux énormes ont été amenés en quelques heures, et en moins de huit jours, sur deux kilomètres de longueur et huit cents mètres de largeur, les arbres ont été arrachés comme fétus de paille et transportés au loin.

La grande avenue aux arbres nés sous le premier Empire, et sur laquelle s'étaient écrasés le 6 juin les planeurs, avait disparu. Plus de haies vives, plus de fossés ; le terrain était nivelé, sillonné de longues pistes courant en tous sens, et sur ces pistes étaient jetés, comme sur les routes de la côte, les longs treillages.

— C'est une parcelle de Beauce transportée soudain en Normandie, disait justement quelqu'un.

Pas de hangars, rien que les bâtiments de la ferme, plantée comme une grosse verrue au milieu des terres nues, et, sur le pourtour de l'immense champ, des tentes pointues couleur de boue.

Les avions luisants comme de l'argent dormaient au grand soleil.

Sous l'effort de milliers de roues grattant les routes, un immense nuage de poussière montait. Tout le paysage devenait gris peu à peu. La poussière était reine et faisait désormais partie de notre atmosphère. Elle se déposait partout, veloutant les haies, entrant dans les poumons, ternissant les grands herbages verdoyants, salissant les meubles.

Parfois, la campagne disparaissait dans un halo, et il semblait qu'un incendie couvait sous la terre et que des flammes allaient bientôt jaillir de cette fumée opaque.

Comme d'une usine géante, des bruits s'exhalaient, bruits de moteurs énormes, de freins, de chaînes qui s'entrechoquent. A chaque croisement, un agent militaire, avec de grands gestes ordonnés, arrêtait, dirigeait, faisait passer les convois.

Le formidable matériel américain débarqué sur les côtes du canton de Sainte-Mère-Église était dirigé en hâte vers le front.

★
★ ★

Le danger s'éloignait de nous. Maintenant que les mamans n'entendaient plus les gargouillis suspects des obus glissant à travers les couches d'air, les enfants furent lâchés, et pour eux la féerie commença.

Ils visitèrent d'abord les planeurs qui, par centaines, parsemaient les clos autour de Sainte-Mère-Église. Quelques-uns étaient intacts, d'allure fière, reposant sur leurs gros pneus, bien droits, n'attendant que l'aide de leur puissant frère l'avion pour remonter dans le ciel. D'autres n'étaient que blessés, les ailes basses, mais le corps solide. D'autres enfin, les plus nombreux, gisaient disloqués en travers des haies et des chemins creux.

Parfois, sur un arbre, on apercevait une aile d'un bleu sombre décorée de l'étoile blanche, et qui vibrait sous la brise comme une aile de libellule géante.

Tous, cependant, étaient des cadavres. Il ne fallait pas risquer le sort d'un avion pour ramener en Angleterre ces pauvres héros

Le front s'éloigne... Alexandre Renaud, le garde champêtre, l'officier de gendarmerie et un soldat américain vers le début de juillet 1944.

La population ovationne les tanks américains montant au front.

La détente autour d'une bouteille de cidre...

Le 7 juin 44. Entre les combats, deux parachutistes de la 82ᵉ Division sont reçus dans une famille française, les Simon. A l'extrême gauche, A. Renaud.

inconnus, sans valeur et sans âme, dont le corps n'était fait que de contre-plaqué et de toile. Ils étaient condamnés à être brûlés quand les hommes en auraient le temps et après que les enfants se seraient amusés de leurs carcasses.

Chaque jour, les petits garçons grimpaient aux postes de pilotage. Ils s'emparaient des volants, tandis que d'autres essayaient de pousser les monstres sur les pentes. Vus des routes, ils ressemblaient à des rats courant sous les ailes, pour réapparaître de l'autre côté. Des petites têtes blondes ou brunes émergeaient au-dessus des postes et des carlingues. Les plus grands coupaient, sciaient, grattaient. Le soir, ils revenaient chargés de leur butin : plaques de mica pour remplacer nos vitres brisées, cigarettes abandonnées par les conducteurs, biscuits ramollis par la rosée et à demi moisis, parcelles de câbles de soie tressée qui avaient attaché les planeurs à l'avion, et surtout bagatelles métalliques que les parents jetteraient plus tard, mais qui, pour les petits, semblaient des joyaux.

★
★ ★

Pendant que les enfants disséquaient les planeurs et les vidaient de tout ce qui était précieux à leurs yeux, des camps avaient surgi un peu partout dans le canton. Dans les champs, côte à côte, comme de gros champignons d'automne, en quelques heures, les tentes étaient montées. Les barrières étaient enlevées, des pans de haies étaient abattus, pour permettre le passage des camions, les entrées et les sorties. Les foins étaient rasés comme après une descente de sauterelles ; de larges pistes couraient sous les pommiers. Les vaches, en meuglant, quittaient ces horizons qu'elles ne reconnaissaient pas et erraient le long des chemins, pourchassées et affolées par la meute hurlante des moteurs.

Alors un gamin, plus audacieux que les autres, pénétra dans un de ces camps ; un autre le suivit ; les soldats les hélèrent : on leur donna des friandises, on leur apprit à prononcer *O. K., Hello Joe, - thanks a lot* - et d'autres termes, ceux-là, introuvables dans les dictionnaires et qui provoquaient de grands rires.

Au soir, les bambins rentrèrent chez eux émerveillés, et, le lendemain, ils amenèrent des camarades et la fête recommença.

Bientôt chaque camp eut ses enfants, que gâtaient les soldats, les infirmières, les assistantes en casquette ou en bonnet de police. On les admit partout, même dans les endroits interdits. Ils allaient aux cuisines, buvaient du café, dévoraient les tranches d'ananas. Ils devenaient peu à peu un ornement pour les camps et une raison de gaieté pour les soldats, à la façon des pigeons qui hantent les tours de Notre-Dame et sont devenus des hôtes sacrés pour les Parisiens.

Pendant les séances de cinéma que l'on donnait chaque après-midi, lorsque la vedette à la mode débitait son couplet :

I open the trunk,
I open the bag

. . . .

And what I saw ?
The picture of my mother-in-law...

on entendait, dominant le bon gros rire des hommes, fuser les cris de joie stridents des bambins, qui ne comprenaient certainement pas, mais riaient de toutes leurs petites gorges en entendant les manifestations de gaieté de leurs grands amis.

Les plaisirs étaient si variés qu'un enfant de dix ans, rentrant à la nuit, répondait à sa maman qui, toute la soirée, dévorée d'inquiétude, l'avait fait rechercher par son grand frère :

— J'ai été si heureux aujourd'hui que je puis bien recevoir la fessée ce soir !

Un orphelin de l'Assistance publique était traité au camp d'aviation comme une véritable mascotte. Il surgissait de son village au petit jour et ne repartait que le soir. Les cuisiniers lui confiaient l'ouverture des boîtes de conserves. Il rôdait comme un moineau parmi les bidons d'essence, les approvisionnements, et l'on pouvait voir sa petite face réjouie jusque dans la grande tente-salon du colonel. Parfois, il invitait de petits amis, et ensemble ils allaient assister à la mise en place des bombes sous les ailes des avions et à la réparation des moteurs. Pour leur faire plaisir, on les grimpait dans les grandes machines volantes, puis on leur donnait une clef, et ils commençaient le serrage des boulons.

Au cours du mois de juillet, le 9ᵉ groupe d'aviation (colonel Young) invita à déjeuner cinquante enfants de Sainte-Mère-Église. Ils arrivèrent pimpants, en beaux habits de fête, les petites filles avec de gros nœuds dans les cheveux ; quelques-unes portaient de jolies robes de soie coupées dans les pièces de parachute. Toute la journée on les combla de prévenances, on les fêta comme des hôtes de marque. Chaque soldat avait adopté un enfant de France ; il était pour quelques heures son enfant. A l'aide de son petit lexique, il essayait de lui parler dans sa langue, il lui offrait cadeaux et chocolats.

Quand le camion repartit après la fête, spontanément, un cri s'éleva :

— Vive l'Amérique !

Et ce cri n'était pas vain. L'âme des petits était gagnée.

★
★ ★

Un jour, nous apprîmes que nos amis aviateurs allaient partir. Nous nous rendîmes à leur camp pour les voir.

— *We move*, nous dirent-ils tristement.

Cachée derrière une tente, pelotonnée comme un chat abandonné, la petite mascotte pleurait, et furtivement, en la voyant, les soldats essuyaient une larme.

Bien des fois, depuis ce jour, nous avons entendu cette petite phrase simple : « *We move* », et toujours, pour les enfants, et un peu pour nous-mêmes, elle avait le son mélancolique d'un adieu.

XVII

L'ARRIVÉE DE LA DIVISION LECLERC

Les premiers jours d'août furent importants pour Sainte-Mère-Église. Soudain, des bruits s'étaient propagés, puis confirmés, de l'arrivée de la division Leclerc, la fameuse unité française qui, venant du Tchad, avait traversé en combattant les déserts de Libye, débouché en Tunisie sur les arrières allemands, et maintenu très haut le prestige de la Patrie.

Ceux de 1914, surtout, qui, sans armement, à un contre quatre, avaient arrêté, puis refoulé seuls l'ennemi, tressaillaient de joie.

« La vieille armée n'est pas morte ! » songeaient-ils.

Les premiers éléments de Leclerc avaient déjà débarqué sur nos plages, entre Foucarville et Saint-Martin. Une grande partie de la population était assemblée sur la route de la mer.

Au coucher du soleil, un grand cri jaillit :

— Les voilà !

Les tanks débouchaient aux maisons neuves. Nous les aperçûmes au même endroit et avec le même enthousiasme que, deux mois plus tôt, les premiers tanks américains. Eux aussi signifiaient pour nous la Victoire !

La foule jetait des fleurs, battait des mains. Des enfants, aux arrêts de la colonne, grimpaient jusqu'aux tourelles, et les conducteurs des voitures n'arrivaient pas à se dégager.

Les Américains regardaient en souriant. Des journalistes des États-Unis, entre deux prises de clichés, mêlaient leurs vivats aux nôtres. Ils comprenaient que, pour la première fois depuis 1940, sur le sol de la Patrie, la France exilée, condamnée à mort mais glorieuse, résistante et forte, retrouvait l'autre France, subjuguée et douloureuse.

Longtemps, les tanks passèrent. Ils portaient les trois couleurs, la croix de Lorraine, et sur le côté, au-dessous de leur tourelle, des noms du pays : Tarentaise, Anjou, Sauternes, Bergerac, Gascogne, Chantereyne, Val-André, Côte-d'Or, Beaujolais, Champagne, Normandie... La chaussée bitumée se craquelait sur leur passage, et un grand nuage de poussière les enveloppait.

★
★ ★

Le lendemain, deux sous-officiers de Toulouse et de Brest dont le camion était en panne vinrent nous voir. Ils restèrent longtemps, en compagnie d'officiers américains, à déguster pour la première fois depuis quatre ans les bons vieux vins de France.

Sans cesse, ils nous disaient leur confiance et leur foi dans l'avenir du pays. Mais, ce dont ils étaient le plus fiers, c'est que tout le matériel moderne dont ils disposaient avait été acheté et payé comptant.

— On voulait nous le donner à crédit, disaient-ils, mais de Gaulle et Leclerc ont tenu à ce qu'il soit à nous.

Les officiers américains ouvraient de grands yeux et, malgré mes explications, ils ne comprenaient pas.

Pourtant, chefs sous-officiers, petit employé Robin, adjudant Boulanger, vous restiez si bien dans notre vieille tradition française ! La division était votre seconde famille, et, pour que cette famille fût respectée, il fallait qu'elle n'eût pas de dettes.

« En France, expliquai-je aux officiers d'Amérique, deux de nos plus grandes vertus sont l'économie et la passion du foyer. Le Français moyen, quand il a gagné cent francs, en fait deux parts égales, l'une qu'il dépense et l'autre qu'il garde jalousement pour s'acheter plus tard un champ avec une chaumière, une villa ou un château qui sera bien à lui, libre de toute hypothèque, et où il pourra passer tranquille l'automne et l'hiver de sa vie.

» Le Français hait les maisons communes, même luxueuses : ce qu'il veut, c'est un foyer riche ou pauvre, mais à lui, et à lui seul ; un foyer qu'il léguera à ses enfants, avec le dernier espoir qu'ils conserveront intact et amélioreront l'héritage paternel.

» Le Français, même lorsqu'il fait profession d'internationalisme, aime aussi son pays comme son grand foyer, d'un amour jaloux. Bien rarement il se décide à le quitter, et, lorsqu'il court le monde, il revient mourir quand il le peut dans le pays qui l'a vu naître.

» Et de même, leur disais-je encore, le Français, qui a acquis des colonies, c'est-à-dire des champs, au prix de son sang, de sa sueur, de son argent, qui s'est efforcé de gouverner des territoires avec amour, comme le champ paternel, n'admettra jamais, fût-il dans la détresse, de vendre ces biens qui font partie de l'héritage des ancêtres. »

Nous parlions à cœur ouvert, en amis. Les officiers américains me disaient *Yes,* du bout des lèvres, mais je sentais très bien qu'ils n'étaient pas gagnés.

— J'avais trois autos, me disait l'un d'eux, je les payais par traites mensuelles.

Un autre me confiait :

— Quand je quitte une ville pour une autre, je laisse toujours mes meubles avec ma maison, et, où je vais, j'achète une autre maison meublée. Ainsi, point de déménagement.

Et je pensais à nos vieux meubles de famille, à nos bibelots, qui tous, chez nous, ont leur histoire.

Nous nous quittâmes après avoir choqué une dernière fois nos verres. A cause de deux petits sous-officiers de l'armée Leclerc, nous avions échangé des idées, sans crainte, en hommes nés dans des pays de coutumes différentes, mais qui se rejoignaient dans le même amour aigu de la liberté.

XVIII

AU COIN DU FEU AVEC DEUX PARACHUTISTES DE LA 82ᵉ DIVISION

Ce fut par une soirée mouillée du début de l'automne que je les revis, les deux grands soldats. Il avait plu toute la journée, et les arbres privés de leurs feuilles, courbaient leurs branches, qui s'entrelaçaient parfois avec de longues plaintes. De toutes parts, les gouttières crevées laissaient tomber des gouttes d'eau qui s'écrasaient sur les trottoirs. De rares passants se hâtaient vers leurs demeures proches. De la tente des *Military Police* érigée sous les arbres, sortait d'un long tuyau une épaisse fumée noire. Ces *M.P.* étaient presque tous des combattants de la première heure qui, blessés et parfois mal guéris, avaient été placés par le haut commandement à ce poste de repos. Depuis plusieurs mois, ils vivaient au milieu de nous, et nous les connaissions tous. Souvent ils revenaient de leur service aux carrefours, un petit enfant à la main. Ils bavardaient avec lui comme de grands frères, ils l'amenaient sous leur tente, et l'enfant émergeait bientôt de la petite porte avec du chocolat ou un bonbon.

J'étais donc sorti pour fermer les volets, quand tous deux descendirent les marches de la place de leur pas lent et vinrent à moi. J'aperçus immédiatement sur leur bonnet de police l'insigne glorieux : un avion duquel sortait un parachute largement déployé. Des parachutistes ! J'eus un peu, en les voyant, la même émotion que le 6 juin, en apprenant surtout qu'ils étaient du 505ᵉ régiment de la 82ᵉ division aéroportée, du régiment qui, désormais, liait son nom à celui de Sainte-Mère-Église. L'un était brun, fort et grand ; l'autre, solide aussi, mais blond et presque timide.

Tous deux avaient été parachutés sur notre localité dans la nuit célèbre. Je les fis entrer. Deux grands aigles étaient revenus d'instinct à ce petit endroit perdu sur la vaste terre, où ils s'étaient abattus pour la première fois, pour fondre ensuite sur l'Europe.

Chez nous, ce soir-là, ce fut grande fête. Tous deux, blessés en Hollande, étaient venus à Sainte-Mère-Église pour revoir le pays de leurs exploits, pour prier sur la tombe de leurs camarades restés parmi nous pour le suprême repos. Avant de repartir, ils nous faisaient visite, se souvenant de m'avoir parlé aux jours de la bataille.

Ils restèrent longtemps avec nous, et toute la maison se mit en frais pour leur servir un bon dîner normand, composé de nombreux plats que l'on sert lentement, que l'on consomme lentement, à la manière de ancêtres, pour qui la vie n'était pas une suite d'images de cinéma à peine entrevues, mais des parcelles de destinée dont les bonnes doivent se savourer à loisir.

De grosses bûches, provenant des « cierges de Rommel » et d'arbres déracinés par les obus, flambaient joyeusement dans l'âtre. La pièce, la seule habitable depuis juin et la seule garnie de carreaux, était chaude et douillette. En l'absence d'électricité, deux lampes, dont l'une n'avait plus de verre, éclairaient la table, et la fumée légère de la soupe chaude se mêlait parfois à la fumée noire du gas-oil.

Après le dîner, nous baissâmes les lampes, comme chaque soir, par économie ; la table fut repoussée, et nous fîmes cercle autour du feu. J'appris à ces deux hommes, qui savaient tuer à la mitraillette, au couteau, à la grenade, à se servir d'un soufflet. Ils n'avaient jamais vu d'instrument semblable, et, comme deux grands enfants, ils s'amusaient à faire danser les flammes.

Je leur demandai de me raconter leur histoire.

« *O.K.,* me dit l'un d'eux, nous sommes si bien ici.

» Mon régiment, ajouta-t-il, est, comme vous le savez, le 505ᵉ d'infanterie parachutiste, de la 82ᵉ division aéroportée. Durant la première guerre, cette division se distingua en France, quelque part en Argonne, et, de ce fait, elle était considérée dans toute l'Amérique comme une fière unité. C'est pour cela, d'ailleurs, que, dès 1942, on l'équipa en division d'assaut parachutiste.

» Ses éléments furent pris dans les quarante-huit États et composés uniquement de volontaires, garçons audacieux et sans peur, durs à la fatigue, souples et agiles, que l'on conduisit aussitôt à l'entraînement, à Fort-Benning, en Georgie. »

Ils apprirent là leur métier d'oiseaux sauvages. On leur enseigna l'art de plier savamment, puis d'ouvrir leur parachute. On leur précisa que les parachutes verts bariolés étaient destinés à soutenir les hommes, que les parachutes blancs étaient des parachutes de réserve à poser sur la poitrine, ou serviraient pour les *bazookas* (engins anti-tanks), que les parachutes or porteraient les mortiers ; les rouges, des munitions ; les bleus, des mitrailleuses ; les verts, des appareils de radio et des appareils de communication. Puis on en fit des acrobates, qui devaient se glisser du haut des grands arbres, sauter dans le vide avant d'être arrêtés brutalement à quelques pieds du sol. On leur apprit à ramer, à nager.

Un jour, quand leur corps se fut suffisamment endurci, on les envoya au « baroud » par-delà les mers. Leurs premiers exploits eurent lieu en Afrique, puis, en juillet 1943, autour de Jela, en Sicile.

— Ce furent plutôt, nous dirent-ils, de grandes répétitions, et nous perdîmes très peu de monde. Un débarquement sur les côtes de Sicile, avec parachutage, coûta aux troupes de débarquement et à nous-mêmes dix-sept hommes.

Ils riaient, et leur rire ironique semblait nous dire :

« Ce n'était vraiment pas la peine de faire donner un régiment d'élite comme le nôtre pour pareille billevesée ! »

L'hiver suivant les trouva en Angleterre, où ils arrivèrent en décembre 1943. Le haut commandement les cantonna dans le comté de Leicestershire. Je ne connais pas ce comté, mais ils nous affirmèrent qu'il était très semblable à notre Normandie, avec des haies vives, des prairies et des petits villages. Le régiment, réorganisé et complété, subit là, pendant six mois, une préparation intense. De nuit et de jour, les hommes manœuvraient. Ils apprirent à creuser dans le minimum de temps leurs « trous de renard », à retrouver leur compagnie, à franchir les ruisseaux, à entailler les haies, à s'embusquer aux endroits propices, à mettre en batterie leurs petits canons, à manipuler les engins de guerre allemands. On les conduisait parfois très loin de leurs camps, et ils devaient y revenir, la nuit ou le jour, par compagnie, par section, par petits groupes ou seuls, en se dirigeant à la boussole.

Deux fois, pendant les six mois, on les parachuta de nuit, à l'entrée d'un village anglais tout semblable à Sainte-Mère-Église. Le village était habité. Ils le prirent d'assaut, et, la première fois, des civils, qui ne semblaient pas avoir été prévenus, se demandaient avec angoisse ce qui leur arrivait.

Au printemps, on commença à leur parler de l'invasion proche, et le soir, sous les tentes, des conversations sans fin avaient lieu pour essayer de deviner où se ferait cette invasion, la Grande Invasion de l'Europe !

Un matin, on leur donna des cartes en couleur, sans nom aucun. Sur ces cartes, ils virent des marais, des boqueteaux, de tout petits ruisseaux et des routes tortueuses, mais tout ce qui pouvait faire identifier l'emplacement avait été recouvert de peinture noire. Quelques jours plus tard, on leur enleva ces cartes, et d'autres leur furent apportées. Le pays présentait le même aspect : il y avait aussi des marais, des petites routes tortueuses. Cependant, assurément, quelque chose avait été modifié dans le plan d'invasion. La raison en était, leur dit-on, que le général allemand commandant le secteur avait changé de résidence. Des parachutistes ayant pour mission future de détruire ce quartier général, il avait fallu modifier la zone de parachutage pour y comprendre le nouveau poste de commandement.

Sous les tentes, et dans les petits lits de camp les paris s'engageaient. La plupart affirmaient que l'attaque se ferait en Hollande, qu'on savait marécageuse ; d'autres songeaient au Danemark ; quelques-uns opinaient pour la Normandie.

« Moi, me dit l'un des deux parachutistes, j'avais parié pour le Danemark.

» Ce que nous souhaitions tous, ajouta-t-il, c'est que l'envolée se fît au plus tôt. Nous étions prêts, et nous trouvions bien longs ces mois passés dans les camps. »

Je leur fis remarquer que, nous aussi, nous trouvions bien longs les préparatifs. Je leur dépeignis le grand Zitt et sa troupe, et les menaces qui pesaient sur nous.

Les premières feuilles parurent aux branches des arbres, on négligea de remettre du charbon dans le poêle des tentes. Le printemps était arrivé, et comme nous, de l'autre côté de la Manche, ils se demandèrent avec surprise :

« Quand donc se fera l'invasion ? »

Un soir, le commandant leur fit une conférence.

— Préparez-vous, travaillez ; la date de l'invasion n'est pas lointaine. Elle se fera, soyez-en sûrs, mais quand et où... je ne le sais pas plus que vous.

Les paris continuaient ; le Danemark était maintenant le grand favori.

Le 26 ou peut-être le 27 mai, brusquement, l'ordre de départ arriva. Ils embarquèrent en camions pour une destination inconnue... Ce même jour, ici, les artilleurs mongols recevaient des généraux allemands l'ordre de transporter leurs canons de Sainte-Mère-Église à Saint-Côme-du-Mont.

« Avant la nuit, dirent les parachutistes, nous étions arrivés sur un aéroport, non loin de la côte, dans la région de Bournemouth. Les civils avaient été évacués vers l'arrière du pays, et cependant tout le camp était entouré de fils de fer barbelés. Des sentinelles montaient la garde jour et nuit, et il était formellement interdit de franchir la zone et même de parler aux aviateurs. Nous étions dans une grande excitation : l'invasion allait se produire, mais nous ne savions rien encore. Le Danemark, cependant, avait perdu sa place de favori, qui était passée à la Normandie. Nous ne faisions plus de manœuvres ; les officiers nous réunissaient pour des conférences deux ou trois fois par jour.

» Peu à peu, par les cuisiniers, par les employés du mess des officiers, des rumeurs se propageaient. Nous regardions avidement la grande carte de France et, sans être des stratèges, nous ne pouvions nous empêcher de poser notre doigt sur cette presqu'île du Cotentin, allongée sur les flots comme un immense ponton.

» — Ce sera là, disions-nous.

» Le 3 juin, par ordre du lieutenant-colonel Krause, on afficha dans la salle de réunion une photo très agrandie prise quelques jours plus tôt par avion. Elle était d'une netteté parfaite. Dans une causerie, il fut expliqué aux hommes qu'ils allaient être parachutés dans les prairies qui bordaient ce pays. Le nom de la localité n'était pas indiqué. Une zone rouge marquée d'un numéro signalait l'emplacement où atterrirait chaque compagnie.

» Notre compagnie devait se poser à l'ouest de l'agglomération. Nos yeux contemplaient la photographie. Dans quelle partie de l'Europe l'avion mystérieux était-il allé ?...

» Deux heures plus tard, nous connaissions ce pays inconnu comme si nous y avions vécu. A l'entrée de la bourgade, à l'ouest, après une fourche, la route courait, toute droite, vers un carrefour étroit. Puis cette route se prolongeait à l'est, tandis qu'une autre plus large, la coupait au carrefour du nord au sud. Tout près de cet endroit, une grande place se voyait, ombragée d'arbres. Et très nettement nous apercevions, non loin de la fourche, un camion rangé sur le côté droit et que chargeaient des hommes portant de grosses caisses ou des bidons. Deux autres camions étaient arrêtés sur leur droite près de la place, et sous les arbres nous devinions que des véhicules étaient garés. De nombreux piétons circulaient au carrefour et dans la rue principale.

» Le 4 juin, les rumeurs se précisaient. Des soldats bien informés affirmaient que déjà les officiers savaient ; ils prenaient des airs complices et se contentaient d'indiquer, sans rien dire et avec insistance, la presqu'île du Cotentin. »

Puis on apprit à la troupe que l'attaque était retardée. Le vent soufflait très fort, et la mer était mauvaise. Ce fut un grand désappointement ; mais dès le lendemain matin, les officiers leur dévoilèrent les plans. La grande photographie représentait Sainte-Mère-Église. On distribua alors les cartes non censurées. Chaque homme en reçut quatre, qu'il devait étudier et garder précieusement dans ses poches. A chaque commandant de compagnie, on donna, en outre, un spécimen réduit du cliché pris par l'avion. Le départ devait avoir lieu le soir même.

« La journée, nous dirent nos soldats, nous parut bien longue. On nous recommanda de dormir le plus possible, de bien manger ; on garnit nos poches de rations de guerre ; on distribua les munitions. Chacun vérifia sa mitraillette, son revolver ; on nous fit les dernières recommandations. Vers 20 heures, on nous apporta des bouchons. Il nous fallait faire brûler une partie de ces bouchons avec nos briquets, puis les passer sur notre figure et même sur nos mains, cela pour être moins visibles dans la nuit, à notre descente de parachute. Malgré l'émotion qui commençait à nous étreindre, nous ne pouvions nous empêcher de nous moquer les uns des autres.

» Quelques instants plus tard, le lieutenant-colonel Krause, commandant notre bataillon, nous réunissait sur le terrain. Nous l'aimions beaucoup, et nous avions confiance en sa bravoure, comme en celle de son second, le lieutenant-colonel Vanderwoort.

» — Dans quelques instants, nous dit-il, vous allez partir à l'assaut. Je compte sur vous, comme vous pouvez compter sur moi. Demain matin, à l'aube, si vous travaillez bien, le drapeau français flottera sur la mairie de Sainte-Mère-Église. »

Je ne pus m'empêcher de demander aux deux parachutistes pourquoi il n'avait pas parlé du drapeau américain.

— Le lieutenant-colonel, me répondirent-ils, insista sur ce fait que nous allions débarquer en territoire allié et ami. C'était le drapeau français qui devait flotter sur la France et non le drapeau américain. En Italie, ajoutèrent-ils, par contre, nous mettions toujours notre drapeau étoilé au sommet des édifices dès que nous avions pris une ville.

★
★ ★

Le feu commençait à baisser, la nuit devenait froide. On entendait toujours les gouttes d'eau qui s'écrasaient à terre avec un bruit mat. Je jetai une grosse bûche dans le foyer, et nous dûmes tirer au sort lequel de nos deux invités tiendrait le soufflet et ranimerait la flamme.

Puis ils recommencèrent à nous narrer leurs souvenirs.

— A 21 heures, un peu avant la nuit, le régiment se groupa sur les pistes d'envol. Le spectacle était impressionnant. En longues files, les gros avions de transport, les C-47, attendaient. Quelques moteurs, de-ci de-là, ronflaient pour un dernier essai. On nous répartit près de chaque avion par groupes de dix-huit hommes, dont un officier et un sous-officier, ou parfois deux officiers. En tête des files d'avions, un C-47 se détachait : c'était celui du commandement, dans lequel allait monter le colonel qui dirigeait la manœuvre. Au-dessus de l'appareil, un dôme, sorte de gros phare, brillait déjà. Notre pilote nous dit qu'il ne devrait jamais le perdre de vue.

Et je songeais que ce déploiement de force, que ces deux soldats qualifiaient d'impressionnant, ne concernait qu'un régiment. Pour transporter ce régiment de trois bataillons à quatre compagnies de 135 hommes, il fallait plus de cent gros avions C-47. A cette même heure, sur d'autres aéroports du sud de l'Angleterre, d'autres centaines d'avions, tapis eux aussi sur leurs pistes d'envol, attendaient d'autres groupes des 82ᵉ et 101ᵉ divisions. D'autres encore accrochaient déjà les planeurs à leur câble de soie. D'autres enfin, partis vers le champ de bataille, nous avaient déjà survolés pour aller jeter leurs bombes sur les blockhaus de la côte.

Dans les ports, sous pression et prêts à appareiller, les navires attendaient. L'armée du débarquement, avec ses tanks, son artillerie, son infanterie, ses troupes d'assaut, à bord depuis trois jours, était tenue au secret, isolée sur les coques d'acier, entre le ciel et l'eau.

A Sainte-Mère-Église, ignorant ces formidables préparatifs, nous allions, traînant notre pompe à bras, essayer d'éteindre l'incendie allumé par les balles traçantes dans le parc de la Haule...

A 22 h 45, sur l'aéroport, des coups de sifflet retentirent. Les groupes montèrent dans les carlingues, d'un seul côté de l'appareil. La porte, de ce côté, avait été enlevée afin de permettre aux hommes de sauter en parachute en cas d'incendie, et aussi pour éviter tout retard dans la manœuvre. Les moteurs furent mis en marche et, dans un fracas assourdissant, les avions décollèrent. Dans la nuit, le 505ᵉ régiment d'infanterie parachutiste partait pour la bataille.

« Au-dessus de la Manche, reprit un de nos deux amis, nous n'avons eu aucune perte. Au-dessous de nous, la flotte de guerre veillait, et dans le ciel, lorsque notre avion tanguait quelque peu, nous apercevions les ombres noires des petits chasseurs qui nous protégeaient. Personne ne parlait. Chacun de nous se recueillait, revivait son passé, pensait aux êtres chers qu'il avait laissés là-bas, dans les

États, de l'autre côté de l'océan. Par la porte ouverte, nous apercevions les rayons de lune qui se jouaient sur la crête des vagues.

» Et soudain, une lumière rouge illumina l'intérieur de la carlingue. Nous arrivions sur la côte de France, à l'ouest de la presqu'île, et par ce feu rouge, que tous les pilotes avaient allumé sur l'ordre de l'avion de commandement, notre colonel nous signifiait : « Préparez-vous à sauter ! »

» Dans la carlingue, nous nous levâmes. Machinalement, chacun ajusta son équipement, et les mains caressèrent la poignée rouge du parachute de secours. A la lueur du feu pourpre, les figures barbouillées de noir avaient des expressions étranges et démoniaques. Et le feu rouge disparut, et un feu vert le remplaça. C'était l'ordre : « Sautez immédiatement ! » L'officier bondit d'abord, puis, un à un, les hommes ; le sous-officier devait partir le dernier. Je me rappelle, ajouta notre soldat, que deux camarades firent, avant de sauter, un rapide signe de croix. »

Puis il reprit :

« Je me balançais maintenant au-dessous de mon parachute. Le silence était total. Mes oreilles bourdonnaient, ma langue était sèche, ma gorge serrée. Deux ou trois fois, j'aperçus, tout près de moi, les parachutes de mes camarades. La terre se rapprochait. Je vis nettement les haies se découpant en noir et les flaques d'eau argentées par la lune. J'apercevais constamment et avec terreur les éclairs des coups de feu, et les balles traçantes montaient vers nous en de longs sillons lumineux. L'une d'elles traversa mon parachute, et j'entendis le crissement de la toile qui se déchire. Je me faisais aussi petit que possible, et les secondes coulaient, longues comme des heures. Enfin, il me sembla que je me trouvais dans un express ; les haies et les arbres défilaient sous mes yeux à une cadence de plus en plus rapide. J'entendis distinctement la crécelle d'une mitrailleuse. Me conformant aux instructions, je tirai sur les câbles pour freiner mon parachute. Puis je courbai le dos, baissai la tête, et je sentis le choc rude de la terre. Sans résistance, je me laissai rouler. Quand je me relevai, je me trouvai dans une prairie. Je fis fonctionner mon cricket, petit appareil de poche que chacun de nous possédait. Chaque compagnie avait une façon différente pour se rallier ; pour la mienne, il était entendu que nous ferions deux appels. D'autres crickets me répondirent : « Tac, tac..., tac, tac. » Je défis ma ceinture : de la haie toute proche, des ombres m'appelaient. Je reconnus mon camarade, celui qui est ici ce soir, et d'autres soldats de mon groupe. Nous avions atterri, exactement à l'endroit prescrit, dans une prairie en bordure de la fourche, à la sortie ouest de Sainte-Mère-Église.

» Nous errions maintenant, nos mitraillettes au poing, le long de la la rue qui va au carrefour. Nous reconnûmes l'endroit où l'on chargeait naguère les camions allemands. »

★
★ ★

— A quelle altitude, demandai-je, vous a-t-on parachutés ?

Sans hésitation, il me répondit :

— A six cents pieds.

J'étais stupéfait. Nous tous qui les avions vus d'en bas sauter de l'avion, puis dériver vers le sol, étions unanimes pour affirmer que les gros transports volaient entre cinquante et soixante mètres.

— Il eût été impossible, firent-ils remarquer tous les deux, de se jeter d'une si faible hauteur. Nos parachutes auraient à peine été déployés, et la plupart d'entre nous se seraient écrasés au sol. Le commandement nous faisait sauter à une distance minimale de la terre, cela dans le but bien compréhensible d'éviter de nous faire servir de cible sans défense, et cette distance avait été fixée à environ six cents pieds.

Nous avions tous été victimes d'un mirage de nuit d'été.

— Vous venez de nous dire, demandai-je encore, que vous étiez sans défense. Cependant, je me souviens avoir entendu dire, et même lu sur des revues que les parachutistes pouvaient tirer à la mitraillette pendant leur descente.

Tous deux ensemble rirent de bon cœur.

— Ceux qui ont écrit pareille chose, dirent-ils, n'ont certainement jamais été parachutés de nuit et en pays inconnu. Le balancement latéral se fait parfois sur plusieurs mètres, et pendant ces moments où le corps fait face tantôt au ciel, tantôt à la terre suivant les inclinaisons successives du parachute, vous ne voyez à peu près rien. Pendant la descente, c'est l'isolement, la sensation étrange de solitude et de silence, avec quelques apparitions rapides d'une étoile, puis d'une haie noire, de la lune, d'un arbre et des balles lumineuses. Raconter que, dans cette situation, on pourrait viser et tirer sur des soldats ennemis à terre, ce sont des histoires bonnes pour des romans-feuilletons !

★

★ ★

Après cette digression, le récit de leurs souvenirs recommença :

« Nous marchions toujours, nos mitraillettes prêtes, le long de la route qui va au carrefour. Nous reconnûmes l'endroit où l'on chargeait naguère les camions. D'une fenêtre, un Allemand tirait sur nos avions, qui passaient encore en longues vagues. Le meilleur tireur de notre groupe lui envoya, presque à bout portant, une décharge de sa mitraillette. L'Allemand laissa tomber son fusil par la fenêtre. Peut-être était-il mort, peut-être était-il seulement saisi de terreur.

» Le carrefour était désert ; les balles lumineuses se croisaient dans le ciel au-dessus de nous. En arrivant sur la place, nous vîmes des hommes au casque doré qui couraient, quelques-uns avec un seau à la main. Nous nous demandâmes pourquoi, à cette heure et à pareil jour, ces hommes déambulaient par les rues. Quelques-uns, les prenant pour des collaborateurs aidant les Allemands, voulaient les tuer ou au moins se saisir d'eux, mais d'autres protestèrent en montrant qu'ils n'avaient pas d'armes. Personne ne tira. »

Les braves pompiers de Sainte-Mère-Église rentrèrent à leur logis, cette nuit-là, sans se douter un instant que leurs casques brillants leur avaient valu un conseil de guerre rapide, pendant lequel des hommes cachés dans l'ombre avaient décidé souverainement et sans appel, de leur vie ou de leur mort.

Les parachutistes rasant les murs, le doigt sur la détente des mitraillettes, allèrent se rassembler à l'endroit indiqué pour leur compagnie sur la carte du camp. L'emplacement désigné se trouvait sur la route de Carentan, à la sortie sud de Sainte-Mère-Église. Immédiatement, quelques « trous de renard » furent creusés, puis une partie du groupe fut envoyée pour patrouiller dans les champs environnants et le long de la rue de Carentan.

★
★ ★

« C'était, me dit le parachutiste blond, un peu avant l'aube, à cette heure où la nuit commence à se dissoudre. Je longeais les maisons sur le côté droit de la rue ; quelques camions venaient de passer ; j'avais tiré sur eux, mais ils avaient continué et disparu vers Fauville. Soudain, d'une maison de l'autre côté de la rue, je vis sortir un homme. Il regarda à droite et à gauche, puis, précautionneusement, il se glissa le long des murs allant vers les issues. Il était à demi habillé et sans armes apparentes, mais ses grandes bottes et ses culottes largement évasées aux cuisses me firent tout de suite penser qu'il était officier allemand. Pour ne pas commettre d'erreur, et comme il ne pouvait pas m'échapper, je lui criai notre mot de passe : « *Flash.* » Il s'arrêta : « *Was ?* » me demanda-t-il. Comme je parle très bien allemand, j'eus la certitude, à ce moment, que c'était un ennemi, et néanmoins j'ajoutai : « *Kommen sie hier.* » (Venez ici). L'homme immédiatement fit deux pas vers moi. Alors, presque sans réfléchir, je déchargeai sur lui ma mitraillette. Le malheureux leva les bras, balança la tête à droite et à gauche, comme pour retrouver son équilibre, puis s'effondra sur le dos.

» J'entrai dans la maison ; elle semblait être occupée entièrement par les Allemands. Aucun civil, des bureaux en désordre. Étant seul, je ne voulus pas me risquer à monter au premier étage.

» Le jour, maintenant, commençait à poindre. La ville semblait morte. Je vis cependant aux fenêtres quelques rideaux qui, discrètement, s'écartaient. Une jeune fille entrouvrit une fenêtre. Je compris qu'elle me disait : « N'ayez pas peur, les Allemands sont partis. »

» Mon groupe était installé, il avait posé des mines sur la route n° 13. Mes camarades me racontèrent qu'avant le jour des camions étaient arrivés par la route de Carentan, tous feux allumés. Les voyant venir de très loin, ils avaient eu le temps de poser leurs mines et de s'embusquer dans les fossés de la route. Les camions avaient sauté sur les mines les uns après les autres, puis on avait tiré sur eux à la mitraillette et fait quelques prisonniers.

» Le soleil se leva, tout était calme. Il nous semblait que nous étions encore dans notre bourgade anglaise après la manœuvre. Peu à peu les civils sortaient dans la rue et venaient nous serrer les mains. On nous recommandait d'être méfiants, à cause des Allemands habillés en civils et qui devaient rôder autour de nous. De plus, une de nos patrouilles venait de trouver dans le clocher deux de nos parachutistes tués et complètement dépouillés de leurs vêtements et de leurs armes. Deux Allemands erraient donc quelque part dans les environs, habillés en parachutistes américains. D'une grande cour sortit un homme qui, sur un plateau, nous apporta des petits verres pleins d'un liquide d'une belle couleur ambrée. Nous vidâmes nos verres d'un trait, et nous nous crûmes empoisonnés tellement cela nous brûlait la gorge. »

Nos deux amis riaient maintenant. Cette nuit, sur un plateau, il y avait près d'eux des petits verres remplis de la même liqueur. Ils nous les montraient en disant :

— C'était du calvados, et du meilleur, que l'on nous servait, du calvados exactement tel que celui que vous nous offrez ce soir. Mais nous n'avions jamais bu ce brandy de votre Normandie, que nous connaissons bien maintenant, je vous assure. Si nous restions ici plus longtemps, nous aurions été heureux de revoir ce brave Français, à qui nous n'avons même pas dit merci.

$$\star$$
$$\star \quad \star$$

Au début de l'après-midi, au moment où les premiers obus commençaient à tomber sur Sainte-Mère-Église, notre ami le grand brun se trouvait au chevet du premier de nos concitoyens frappé à mort. Il le pansait, lui faisait une piqûre, aidait à le transporter.

Puis ce fut la bataille acharnée. Les attaques succédaient aux attaques. Les Allemands partant de Fauville, voulaient à tout prix pénétrer dans Sainte-Mère-Église. Terrés dans leurs « trous de renard », les Américains les fusillaient ; leur tâche était facilitée par le magnifique champ de tir qu'était la route nationale. Les cadavres ennemis s'accumulaient dans les fossés, le long de la route.

Alors les Allemands essayèrent d'attaquer par les champs, avec l'appui de tanks qu'accompagnaient une centaine d'hommes d'infanterie. Heureusement, les *bazookas* entrèrent en action, et les tanks blessés se replièrent comme ils purent. La plupart des fantassins furent tués.

« Nos blessés étaient transportés, dirent les parachutistes à l'hôpital de Sainte-Mère-Église, transformé en ambulance. Notre médecin, le capitaine Lyle Putnam, se distingua. Il soigna avec son dévouement habituel vos blessés comme les nôtres. A plusieurs reprises, on le vit près des brancards, marchant avec son flegme habituel, sans souci des balles qui ricochaient sur les murs. Parfois, agenouillé dans la rue, près d'un blessé grave, il lui faisait un pansement avec le même soin que dans une salle de chirurgie.

» Enfin Fauville fut pris par nos troupes arrivant de Gambosville et de La Coquerie. A la même heure, venant des plages, les premiers tanks débouchaient sur la route nationale. Alors, en toute hâte, on nous conduisit à nouveau en première ligne, près du village de La Fière, en bordure des marais.

» Nous y arrivâmes le soir, en nous glissant le long des talus, à travers les prairies. Les obus fouettaient les arbres, les balles sifflaient dans les branches ou traçaient de longs sillons dans l'herbe : nous étions à nouveau en plein combat.

» Les marais en avant de nous répandaient une odeur pestilentielle. Des nuées de moustiques dansaient leurs ballets au-dessus des haies. A la surface des eaux sombres, dans les roseaux et les joncs, nous apercevions de larges taches de couleur vive : c'étaient des parachutes qui flottaient. A leur extrémité, il y avait un cadavre, des munitions ou des pansements. De l'autre côté des marais, les Allemands veillaient.

» D'un abreuvoir desséché, tout près de nous, des plaintes s'exhalaient : le poste de secours y était installé, dirigé par le chapelain, un Breton de France devenu Américain. Abrités dans nos trous, nous n'avions qu'à attendre nos troupes d'assaut, qui viendraient de la côte continuer l'attaque.

» Nos camarades, en mots brefs, nous racontaient leur bataille. Sans aucun doute, elle avait été plus farouche encore que sur la route de Carentan. D'abord, beaucoup de parachutistes s'étaient blessés en sautant ; beaucoup aussi avaient failli se noyer.

» Pour remonter les courages, ce diable de chapelain avait entrepris au petit jour, quatre heures après le parachutage, de dire une messe. Il s'était installé dans une pauvre maison, avait sorti ses ornements et les vases sacrés. Sans souci de l'heure présente, il priait pour les morts, pour ceux qui souffraient, pour ceux qui allaient mourir, et les soldats se relayaient, pour avoir chacun son petit bout de messe.

» Une bonne nouvelle leur était parvenue, on ne sait comment, peut-être grâce au poste de T.S.F. portatif : à 4 heures du matin, le mardi, des parachutistes guidés par des Français avaient tué à quelques kilomètres de là, au château de Bernaville, le général allemand commandant le secteur et une partie de son état-major.

» Puis les munitions avaient manqué : des planeurs et des avions étaient venus en apporter. Pendant vingt-quatre heures, il avait été sérieusement question d'abandonner le terrain et de se replier sur Sainte-Mère-Église. La nuit précédente, des planeurs étaient encore descendus, chargés d'hommes de renfort.

» Quelques heures après notre arrivée, le chapelain, petit bonhomme tout rond, passa devant notre trou. Il était gai maintenant ; à chaque main, il tenait une bouteille de calvados, qu'il portait aux blessés de l'abreuvoir. Il s'arrêta un instant pour nous expliquer qu'il avait trouvé cette liqueur dans une ferme. Et il ne cessait de répéter en riant : « Quelle histoire ! mes garçons, quelle histoire ! »

» Savez-vous, nous dirent nos parachutistes, à quoi s'étaient divertis nos camarades pendant les courts répits de la bataille ?... A fureter dans les maisons pour y trouver des souvenirs. L'un d'eux nous montra fièrement deux décorations françaises de l'autre guerre, qu'il avait demandées à un ancien combattant et que celui-ci lui avait données avant de quitter le village ; d'autres gardaient précieusement une cuillère, une fourchette, une boîte !... »

Nous avions, pendant l'autre guerre, l'avant-dernière, accompli les mêmes actes, dans des circonstances analogues. Ces hommes emporteraient chez eux, dans le nord glacé ou le sud ensoleillé des États, ces petites reliques. Personne autour d'eux ne comprendra jamais pourquoi elles leur seront aussi chères. C'est que, sur elles, se sera cristallisé le passé, les jours de vie intense et sauvage, vécus au contact de la mort.

★
★ ★

Il était temps de nous quitter ; le jour allait bientôt venir, et plusieurs kilomètres séparaient nos invités de leur camp. De nouveau, un café bien chaud fumait dans les tasses ; c'était l'heure où les membres engourdis appellent le repos.

— Avant de partir, leur dis-je, voudriez-vous me faire savoir ce que, en toute franchise, vous pensez des civils que vous avez rencontrés dans les premiers jours de votre arrivée en France.

Ce fut le soldat blond qui me répondit. L'autre était trop occupé à chauffer, à la mode française, son petit verre de calvados entre les paumes de ses mains.

« Nous avons été blessés tous deux, à quelques kilomètres de La Fière, par le même obus. Dans ce village, nous n'avons vu personne. Quand nous sommes arrivés, tout le monde avait été évacué à Sainte-Mère-Église ou dans les fermes du voisinage, mais nos camarades nous dirent que vos compatriotes les avaient aidés au maximum, leur indiquant, pendant la première nuit, où se trouvaient les Allemands, leur servant à manger et à boire, leur signalant aussi les endroits dangereux du marais.

» Sur la rue de Carentan, ajouta-t-il, quand commencèrent les combats, nous fûmes obligés de menacer certains de vos concitoyens pour les obliger à rentrer chez eux. Les obus et les balles balayaient la chaussée, et parfois, de nos « trous de renard », nous apercevions encore un homme ou une femme qui, en courant, traversait la rue.

» Le mardi soir, au plus fort de la lutte, devant nous, une vieille dame passa. Elle allait chercher du secours chez des amis, à Fauville, en plein repaire des Allemands. Nous la vîmes avec angoisse s'en aller à petits pas, en zone découverte, sous les balles et les obus, le long d'une route minée et dont les fossés servaient de tranchée à l'ennemi. A mesure qu'elle avançait sa silhouette se faisait plus petite, et nous la suivîmes des yeux jusqu'à ce qu'elle disparût à l'horizon. Elle ne revint pas. »

Je racontai la suite de l'histoire. En arrivant à Fauville, d'une haie, un coup de feu partit. Un Allemand, affolé peut-être, avait tiré sur elle. Elle tomba, blessée, et son agonie dura plus de quinze jours.

— Quelques jours plus tard, reprit le parachutiste, nous étions du côté de Fresville, en patrouille. Un paysan se présenta à nous. Il ne savait pas un mot d'anglais et nous montra un papier écrit par vous, dans notre langue. Nous apprîmes qu'il était un bon Français et bien connu de tous. Il nous fit comprendre que ses animaux étaient là-bas, du côté des Allemands, et qu'il devait aller les chercher, qu'on avait besoin de lait pour les enfants, pour les blessés. Il passa et franchit les lignes allemandes. Une heure après, il revint, chassant devant lui six vaches. Il marchait de son pas tranquille. A cause de lui, des deux côtés, les mitraillettes s'étaient tues. Mais les obus continuaient de se briser aux alentours. Il nous fit en passant un signe amical de la main. C'était d'une grande bravoure, doublée d'un peu d'inconscience du danger !

★
★ ★

Ils partirent en nous disant une fois de plus :
— Au revoir ! Nous reviendrons un jour des États.

Jusqu'à leur arrivée sur la route nationale, à l'endroit même et à la même heure où, quatre mois plus tôt, ils avaient tenu leur conseil de guerre pour décider du sort de nos pompiers, ils nous firent des signaux d'amitié en allumant et en éteignant tour à tour leurs lampes électriques.

Plus tard, ils reviendront, j'en suis certain, attirés là par leurs souvenirs. Comme la première fois, des C-47 les amèneront, eux et leurs camarades. Avant d'atterrir sur l'aérodrome de Cherbourg, ils passeront

A Carentan, devant le monument aux morts, les soldats fêtent le 14 Juillet avec les enfants de la ville.

6 juin 1952, jour anniversaire.
Le général Eisenhower serre la main
d'un des « petits parachutistes » de
Sainte-Mère-Église, à côté de la Borne
de la Liberté O.

La décoration du drapeau et des membres de la 82e Airborne Division (croix de guerre et fourragère) par le général Le Gentilhomme.

Une grande journée franco-américaine, le 6 juin 1946 à Sainte-Mère-Église.

6 juin 1964, 20ᵉ anniversaire.
John Steele, tombé sur le clocher (à gauche) et William Tucker, tombé près du musée actuel, entourent le maire de Sainte-Mère-Église.

A. Renaud, en visite officielle aux États-Unis, avec son fils, à Wilmington, N.C., en juin 1963. En blanc, le capitaine Robert Piper et en civil à droite, John Steele.

35ᵉ anniversaire à Sainte-Mère-Église.
Avec un opérateur de la télévision française, à l'arrière de la jeep, deux vétérans de la 82ᵉ Airborne Division :
Bob Murphy, éclaireur, tombé une heure avant ses camarades, dans le jardin du presbytère, et Karl Beck, gra-
vement blessé en 1944.

en rase-mottes sur Sainte-Mère-Église, et, au-dessus des cimetières, peut-être jetteront-ils, nouveaux parachutes multicolores, des fleurs cueillies la veille en Amérique.

XIX

SAINTE-MÈRE-ÉGLISE, VILLE-SOUVENIR

Les mois ont passé, et l'époque des grandes chutes de pluie est arrivée, annonciatrice des premiers froids. Il y a bien longtemps que nous n'entendons plus le canon.

L'armée victorieuse a traversé la France de toute la vitesse de ses moteurs. La boue a remplacé la poussière. Certaines routes, devenues des pistes gluantes, sont impraticables aux voitures. La route nationale n° 13, devenue rue Général de Gaulle, n'est plus qu'un cloaque d'eau bourbeuse qui gicle sous les roues des tracteurs.

Nos plages ont gardé leur importance et continuent à déverser à travers le pays le matériel de guerre. La nuit, sans cesse, les longs convois montants et descendants, phares allumés, illuminent l'horizon.

Quelques camps restent encore, qui, la nuit, violemment éclairés, semblent nager sur un marécage.

La grande histoire est terminée pour Sainte-Mère-Église.

Deux cimetières semblent monter la garde aux portes de la ville. Le général Theodore Roosevelt y repose, fraternellement uni dans la mort avec ses soldats de la 4e division et les farouches parachutistes. Tout l'été, des fleurs pousseront à cet endroit, entretenues par des mains pieuses, en reconnaissance de la bravoure splendide de ces hommes qui s'accrochèrent sur notre sol jusqu'au sacrifice suprême et empêchèrent la destruction totale de notre petite cité.

Sainte-Mère-Église, qui a subi le premier choc, répare ses plaies. Malgré ses meurtrissures, elle garde son église, sa borne romaine symbole de notre vieille histoire, ses grands arbres, la plupart de ses maisons bâties de guingois au cours des siècles.

Sainte-Mère-Église

Elle sera la vieille bourgade normande à côté des cités voisines, Valognes, Montebourg, Pont-l'Abbé, rebâties et modernisées.

Elle restera la « ville-souvenir », telle exactement que l'ont aperçue les parachutistes à l'aube du 6 juin 1944, telle que l'ont contemplée les milliers d'Américains qui l'ont traversée ou qui ont campé dans les champs d'alentour, alors que les obus pleuvaient sur elle et qu'elle représentait pour l'Amérique le cœur de la France délivrée.

Mairie de Sainte-Mère-Église (Manche)
(Juin-novembre 1944)

Nous tenons à remercier les personnes, agences et organismes qui nous ont gracieusement autorisés à reproduire les documents photographiques de ce livre :

— Département de l'Armée à Washington.
— Photo U.S.I.S.
— Robert PIPER.
— Charles YOUNG.
— Weston WAYNES.
— Bob LANDRY (*Life Magazine*).
— M. BENOIT.
— Yves TARIEL.

TABLE DES MATIÈRES

Aubin Imprimeur
LIGUGÉ, POITIERS

Achevé d'imprimer en août 1990
N° d'édition 4721 / N° d'impression L 35950
Dépôt légal, avril 1984
Imprimé en France